EOLA
D1209707

Collection folio junior

dirigée par
Jean-Olivier Héron
et Pierre Marchand

Steve Jackson et **Ian Livingstone,** auteurs des livres dont vous êtes le héros, ont été tous deux élèves du lycée de Altrincham dans le Cheshire. Steve Jackson a étudié la biologie et la psychologie à l'université de Keele, mais il consacra surtout son énergie à fonder une association de jeux au sein de l'université. Ian Livingstone a suivi des cours de marketing au collège de Stockport ; il a collaboré, par la suite, au magazine *Albion,* aujourd'hui disparu, la revue la plus célèbre en Grande-Bretagne en matière de jeux de société.

En 1974, tous deux vinrent s'installer à Shepherd's Bush, dans la partie ouest de Londres ; ils passaient là le plus clair de leur temps à jouer à des *wargames* américains. Parmi les divers emplois que Steve Jackson a tenus à cette époque, l'un des plus enrichissants pour son expérience fut sans nul doute sa collaboration à *Games and Puzzles* qui était à l'époque le seul magazine anglais professionnel spécialisé dans les jeux ; dans le même temps, Ian Livingstone menait une carrière de cadre supérieur dans le service marketing d'une grande compagnie pétrolière. Lorsque leur société Games Workshop fut créée, ils décidèrent tous deux d'abandonner leur situation «stable» pour se consacrer entièrement à ce qui avait toujours constitué la grande ambition de leur vie.

Les jeux que produit la société Games Workshop ont inspiré *Le Marais aux Scorpions.* Conçu pour un joueur solitaire, le livre fonctionne à la manière des jeux électroniques dans lesquels le joueur doit tenir un rôle en tant que personnage. De tels jeux ont ceci de particulier qu'ils nécessitent la présence d'un «Maître du Jeu» représentant une sorte de «dieu» qui préside à l'aventure dans laquelle se lance le joueur. Dans *Le Marais aux Scorpions,* c'est le livre lui-même qui fait office de «Maître du Jeu», en utilisant une technique familière à ceux qui ont suivi des cours programmés électroniquement.

Steve Jackson et Ian Livingstone ont maintenant dépassé la trentaine et ils sont toujours aussi acharnés au jeu. Parmi leurs jeux préférés, citons : Apocalypse, 1829, Intellivision Baseball, Pisa et la grande trilogie des jeux électroniques : Rune Quest, Donjons et Dragons et Traveller.

Pour Nicole, Denis,
Nathalie et Patrick.

Titre original :
Scorpion Swamp

© Steve Jackson, 1984, pour le texte.
© Duncan Smith, 1984, pour les illustrations.
© Éditions Gallimard, 1985, pour la traduction française.

Steve Jackson
et Ian Livingstone

Le Marais aux Scorpions

*Traduit de l'anglais
par Camille Fabien*

Illustrations de Duncan Smith

Gallimard

Comment combattre les créatures du Marais aux Scorpions

Avant de vous lancer dans cette aventure, il vous faut d'abord déterminer vos propres forces et faiblesses. Vous avez en votre possession une épée et une cotte de mailles ainsi que quelques Pièces d'Or qui vous permettront de subvenir à de menues dépenses. Afin de vous préparer à votre quête, vous vous êtes entraîné au maniement de l'épée et vous vous êtes exercé avec acharnement à accroître votre endurance.

Les dés vous permettront de mesurer les effets de cette préparation en déterminant les points dont vous disposerez au départ en matière d'HABILETÉ et d'ENDURANCE. En pages 10 et 11, vous trouverez une *Feuille d'Aventure* que vous pourrez utiliser pour noter les détails d'une aventure. Vous pourrez inscrire dans les différentes cases vos points d'HABILETÉ et d'ENDURANCE.

Nous vous conseillons de noter vos points sur cette *Feuille d'Aventure* avec un crayon ou, mieux, de faire des photocopies de ces deux pages afin de pouvoir les utiliser lorsque vous jouerez à nouveau.

HABILETÉ	ENDURANCE	CHANCE
Total de départ =	*Total de départ =*	*Total de départ =*

ÉQUIPEMENT TRANSPORTÉ

PIERRES DE MAGIE

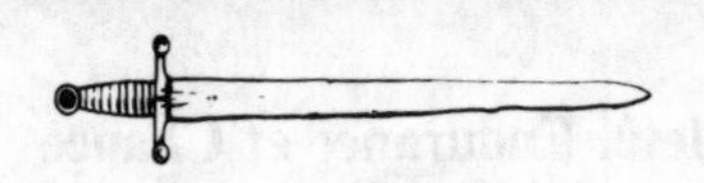

CASES DES RENCONTRES AVEC UN MONSTRE

Habileté = *Endurance =*	*Habileté =* *Endurance =*	*Habileté =* *Endurance =*
Habileté = *Endurance =*	*Habileté =* *Endurance =*	*Habileté =* *Endurance =*
Habileté = *Endurance =*	*Habileté =* *Endurance =*	*Habileté =* *Endurance =*
Habileté = *Endurance =*	*Habileté =* *Endurance =*	*Habileté =* *Endurance =*

Habileté, Endurance et Chance

Lancez un dé. Ajoutez 6 au chiffre obtenu et inscrivez le total dans la case HABILETÉ de la *Feuille d'Aventure*. Lancez ensuite les deux dés. Ajoutez 12 au chiffre obtenu et inscrivez le total dans la case ENDURANCE. Il existe également une case CHANCE. Lancez à nouveau un dé, ajoutez 6 au chiffre obtenu et inscrivez le total dans la case CHANCE.

Pour des raisons qui vous seront expliquées plus loin, les points d'HABILETÉ, d'ENDURANCE et de CHANCE changent constamment au cours de l'aventure. Vous devrez garder un compte exact de ces points et nous vous conseillons à cet effet d'écrire vos chiffres très petits dans les cases, ou d'avoir une gomme à portée de main. Mais n'effacez jamais vos *points de départ*. Bien que vous puissiez obtenir des points supplémentaires d'HABILETÉ, d'ENDURANCE et de CHANCE, ce total ne doit en aucun cas excéder vos *points de départ*.

Vos points d'HABILETÉ reflètent votre art dans le maniement de l'épée et votre adresse au combat en général ; plus ils sont élevés, mieux c'est. Vos points d'ENDURANCE traduisent votre force, votre volonté de survivre, votre détermination et votre forme physique et morale en général ; plus vos points d'ENDURANCE sont élevés, plus vous serez capable de survivre longtemps. Avec vos points de CHANCE, vous saurez si vous êtes naturellement chanceux ou malchanceux. La chance et la magie sont des réalités de la vie dans l'univers imaginaire que vous allez découvrir.

Batailles

Il vous sera souvent demandé, au long des pages de ce livre, de combattre des créatures de toutes sortes. Parfois, vous aurez la possibilité de choisir la fuite, sinon – ou si vous décidez de toute façon de combattre –, il vous faudra mener la bataille comme suit : tout d'abord, vous inscrirez les points d'HABILETÉ et d'ENDURANCE de la créature dans la première case vide des *Rencontres avec un Monstre*, sur votre *Feuille d'Aventure*. Les points correspondant à chaque créature sont donnés dans le livre chaque fois que vous faites une rencontre.

Le combat se déroule alors ainsi :

1. Jetez les deux dés pour la créature. Ajoutez ses points d'HABILETÉ au chiffre obtenu. Ce total vous donnera la *Force d'Attaque* de la créature.

2. Jetez les deux dés pour vous-même. Ajoutez le chiffre obtenu à vos propres points d'HABILETÉ. Ce total représente votre *Force d'Attaque*.

3. Si votre *Force d'Attaque* est supérieure à celle de la créature, vous l'avez blessée. Passez à

l'étape nº 4. Si la *Force d'Attaque* de la créature est supérieure à la vôtre, c'est elle qui vous a blessé. Passez à l'étape nº 5. Si les deux *Forces d'Attaque* sont égales, vous avez chacun esquivé les coups de l'autre - reprenez le combat en recommençant à l'étape nº 1.

4. Vous avez blessé la créature, vous diminuez donc de deux points son ENDURANCE. Vous pouvez également vous servir de votre CHANCE pour lui faire plus de mal encore (voir page 14).

5. La créature vous a blessé, vous ôtez alors deux points à votre ENDURANCE. Vous pouvez également faire usage de votre CHANCE (voir page 14).

6. Modifiez votre score d'ENDURANCE ou celui de la créature, selon le cas. (Faites de même pour vos points de CHANCE si vous en avez fait usage - voir page 14.)

7. Commencez le deuxième *Assaut* (en reprenant les étapes de 1 à 6). Vous poursuivrez ainsi l'ordre des opérations jusqu'à ce que vos points d'ENDURANCE ou ceux de la créature que vous combattez aient été réduits à zéro (mort).

Fuite

A certaines pages, vous aurez la possibilité de fuir un combat s'il vous semble devoir mal se terminer pour vous. Si vous prenez la *Fuite,* cependant, la créature vous aura automatiquement infligé une blessure tandis que vous vous échappez. (Vous ôterez alors deux points à votre ENDURANCE.) C'est le prix de la couardise. Pour cette blessure, vous pourrez toutefois vous servir de votre CHANCE selon les règles habituelles (voir page 16). La *Fuite* n'est possible que si elle est spécifiée à la page où vous vous trouverez.

Si vous prenez la *Fuite* après avoir infligé une blessure à un ennemi, notez les modifications intervenues dans son total d'ENDURANCE et conservez ces indications car il est possible que vous reveniez plus tard dans cette clairière et que ce ou ces monstres s'y trouvent encore : dans ce cas, il vous faudrait peut-être reprendre le combat là où vous l'aviez laissé.

Combat avec plus d'une Créature

Si vous croisez plus d'une créature, lors de certaines rencontres, vous lirez à la page correspondante les instructions qui vous permettront de mener la bataille. Parfois, vous les affronterez comme si elles n'étaient qu'un seul monstre ; parfois, vous les combattrez une par une.

Chance

A plusieurs reprises au cours de votre aventure, lors de batailles ou dans des situations qui font intervenir la chance ou la malchance (les détails vous seront donnés dans les pages correspondantes) vous aurez la possibilité de faire appel à votre chance pour essayer de rendre une issue plus favorable. Mais attention ! L'usage de la chance comporte de grands risques et si vous êtes Malchanceux, les conséquences pourraient se révéler désastreuses.

Voici comment on peut se servir de la chance : jetez deux dés. Si le chiffre obtenu est *égal ou inférieur* à vos points de CHANCE, vous êtes Chanceux, et le résultat tournera en votre faveur. Si ce chiffre est *supérieur* à vos points de CHANCE, vous êtes Malchanceux et vous serez pénalisé.

Cette règle s'intitule : *Tentez votre Chance*. Chaque fois que vous « Tenterez votre Chance », il vous faudra ôter un point à votre total de CHANCE. Ainsi, vous vous rendrez bientôt compte que plus vous vous fierez à votre chance, plus vous courrez de risques.

Utilisation de la Chance dans les Combats

A certaines pages du livre, il vous sera demandé de *Tenter votre Chance* et vous serez averti de ce qui vous arrivera selon que vous serez Chanceux ou Malchanceux. Lors des batailles, cependant, vous pourrez toujours *choisir* d'utiliser votre chance, soit pour infliger une blessure plus grave à une créature que vous venez de blesser, soit pour minimiser les effets d'une blessure qu'une créature vient de vous infliger.

Si vous venez de blesser une créature, vous pouvez *Tenter votre Chance* à la manière décrite plus haut. Si vous êtes Chanceux, vous avez infligé une blessure grave et vous pouvez ôtez deux points de plus au score d'ENDURANCE de la créature. Si vous êtes Malchanceux, cependant, la blessure n'était qu'une simple écorchure, et vous devez rajouter un point au score d'ENDURANCE de la créature (c'est-à-dire qu'au lieu d'enlever les deux points correspondant à la blessure, vous n'aurez ôté qu'un seul point).

Si la créature vient de vous blesser, vous pouvez *Tenter votre Chance* pour essayer d'en minimiser les effets. Si vous êtes Chanceux, vous avez réussi à atténuer le coup. Rajoutez alors un point d'ENDURANCE (c'est-à-dire qu'au lieu de deux points ôtés à cause de la blessure, vous n'aurez qu'un point en moins). Si vous êtes Malchanceux, le coup que vous avez pris était plus grave. Dans ce cas, enlevez encore un point à votre ENDURANCE.

Rappelez-vous que vous devez soustraire un point de votre total de CHANCE chaque fois que vous *Tentez votre Chance*.

Comment rétablir votre Habileté, votre Endurance et votre Chance

Habileté

Vos points d'HABILETÉ ne changeront pas beaucoup au cours de votre aventure. A l'occasion, il peut vous être demandé d'augmenter ou de diminuer votre score d'HABILETÉ. Une arme magique peut augmenter cette HABILETÉ, mais rappelez-vous qu'on ne peut utiliser qu'une seule arme à la fois ! Vous ne pouvez revendiquer deux bonus d'HABILETÉ sous prétexte que vous disposez de deux épées magiques. Vos points d'HABILETÉ ne peuvent jamais excéder leur total de départ. Par ailleurs, la Pierre Magique d'HABILETÉ (voir plus loin) vous permettra, le cas échéant, de retrouver vos points perdus.

Endurance

Vos points d'ENDURANCE changeront beaucoup au cours de votre aventure en fonction des combats que vous aurez à livrer à des monstres ou des tâches ardues qu'il vous faudra accomplir. Lorsque vous approcherez du but, votre niveau d'ENDURANCE sera peut-être dangereusement bas et les combats se révéleront alors pleins de risques, aussi, soyez prudent !

Souvenez-vous également que vos points d'ENDURANCE ne peuvent en aucun cas excéder votre total de départ. Une Pierre Magique d'ENDU-

RANCE (voir page 19) vous permettra de retrouver vos points perdus.

Chance

Vos points de CHANCE augmentent au cours de l'aventure lorsque vous êtes particulièrement Chanceux. Les détails vous seront donnés au long des pages. Rappelez-vous cependant que, comme pour l'ENDURANCE et l'HABILETÉ, vos points de CHANCE ne peuvent en aucun cas excéder leur niveau de départ. Par ailleurs, une Pierre Magique de CHANCE (voir page 19) vous permettra de retrouver vos points perdus.

Équipement

Au début de votre aventure, vous ne disposerez que d'un équipement minimum, mais vous pourrez trouver ou acheter d'autres accessoires au cours de vos voyages. Vous êtes armé d'une épée et vêtu d'une cotte de mailles. Vous portez également sur vos épaules un Sac à Dos dans lequel vous rangerez tous les trésors sur lesquels vous pourriez mettre la main.

La Magie

Dans cette aventure du Marais aux Scorpions, vous êtes avant tout un guerrier qui combat les armes à la main. Dans certaines situations, cependant, vous pourrez avoir recours à la magie. Des Pierres de Magie vous donneront en effet le pouvoir de jeter des sorts. Vous obtiendrez ces pierres auprès de sorciers que vous rencontrerez au cours de vos pérégrinations et chacune d'elle vous permettra de jeter un sort, mais un seul, car les Pierres de Magie se désintègrent dès qu'on les a utilisées. Il existe en tout douze sortes de Pierres Magiques dont vous trouverez le détail plus loin. Lorsque vous faites l'acquisition d'une Pierre Magique, inscrivez-la sur votre *Feuille d'Aventure*. Si vous avez la chance de pouvoir choisir entre différentes pierres, vous aurez le droit de prendre plusieurs pierres semblables, par exemple 4 Pierres de Feu. Mais dès que vous aurez utilisé l'une d'elles, il vous faudra la rayer de votre *Feuille d'Aventure*. Ainsi, en admettant que vous ayez choisi 4 Pierres Magiques de Feu, vous aurez la possibilité de faire jaillir des flammes à quatre reprises et pas davantage, à moins qu'un sorcier secourable ne vous donne par la suite d'autres Pierres de Feu. Les sorts que vous pourrez jeter sont divisés en trois catégories : Bénéfiques, Maléfiques et Neutres. Tout le monde peut jeter des sorts neutres, mais les bons sorciers ne peuvent pas jeter de sorts maléfiques et inversement. Vous-même, en revanche, avez le droit de jeter tous les sorts qui vous chantent... il vous sera impossible, cependant, d'obtenir des Pierres Magiques bénéfiques auprès d'un sorcier maléfique, ou des pierres maléfiques auprès d'un bon sorcier.

HABILETÉ : en faisant usage de cette pierre, vous récupérerez un nombre de points d'HABILETÉ égal à la moitié de votre total de départ (si ce total est impair, arrondissez le résultat au chiffre supérieur). Ces points s'ajouteront à ceux qui vous restent au moment ou vous utilisez la pierre mais comme vous le savez déjà, le total ainsi obtenu ne pourra en aucun cas dépasser celui dont vous disposiez au début de votre aventure.

ENDURANCE : Cette pierre vous permet de récupérer un nombre de points d'ENDURANCE égal à la moitié de votre total de départ ; référez-vous au paragraphe HABILETÉ pour savoir dans quelles conditions.

CHANCE : tout comme celles d'HABILETÉ et d'ENDURANCE, cette pierre vous redonne un nombre de points égal à la moitié de votre total de départ ; elle fonctionne sur le même principe que la Pierre d'HABILETÉ (voir plus haut).

FEU : Voici une pierre qui vous permet d'enflammer instantanément tout objet de taille moyenne (une torche, par exemple) ; plus cet objet est inflammable, plus la Pierre est efficace.

GLACE : cette pierre a le pouvoir de produire de la glace ; elle se révèle particulièrement active lorsqu'il y a de l'eau ou de la vapeur d'eau à proximité.

ILLUSION : Avec cette pierre, vous pourrez créer une courte illusion. Mais si vous vous comportez d'une manière contraire à cette illusion, vous la rendrez inopérante et elle disparaîtra aussitôt.

Les Pierres Bénéfiques

AMITIÉ : cette pierre vous permettra de vous attirer les bonnes grâces d'une créature, mais elle ne fonctionnera pas si vous en faites usage auprès d'un être pour qui l'idée même d'amitié n'a aucune signification.

CROISSANCE : si vous souhaitez accélérer la croissance d'une plante de bonne taille ou de plusieurs petites, vous utiliserez cette pierre. Sachez cependant qu'elle ne fait grandir que les plantes.

BÉNÉDICTION : les effets de cette pierre ne peuvent bénéficier qu'à quelqu'un d'autre, pas à vous-même. Lorsque vous bénirez une créature, celle-ci récupérera aussitôt 3 points d'ENDURANCE, 3 points d'HABILETÉ et 3 points de CHANCE ; ces points s'ajouteront à ceux qui lui restent au moment où la bénédiction est donnée mais aucun total ainsi obtenu ne pourra dépasser celui dont elle disposait au départ dans chacune de ces trois catégories.

Les Pierres Maléfiques

TERREUR : Cette pierre vous permettra d'inspirer de la peur à une créature, à condition que cette dernière soit capable d'éprouver un tel sentiment.

FLÉTRISSURE : Si vous souhaitez qu'une plante de bonne taille ou plusieurs petites se fanent et se ratatinent, vous utiliserez cette pierre. Sachez cependant qu'elle n'agit que sur les plantes.

MALÉDICTION : c'est là une pierre au pouvoir considérable dont il ne faut pas faire usage à la légère. Chaque fois que vous exercerez une malédiction, vous devrez lancer un dé et réduire votre total d'ENDURANCE d'un nombre de points équivalant au chiffre obtenu. En contrepartie, un sort tragique - dont la nature ne vous sera pas précisée - viendra aussitôt frapper l'adversaire que vous aurez maudit.

Quand peut-on se servir des Pierres de Magie ?

Vous avez le droit d'utiliser les pierres d'ENDURANCE, d'HABILETÉ et de CHANCE à tout moment, *sauf au cours d'un combat*. Si vous souhaitez en faire usage au début de l'affrontement, rien ne s'y oppose, mais il vous est interdit de vous en servir sitôt que le premier coup a été donné, et ce, jusqu'à la fin du combat. Quant aux autres pierres, vous ne devrez les utiliser que lorsque la possibilité vous en sera donnée dans certains paragraphes.

Cartographie

Au cours du jeu, vous devrez parcourir un dédale de sentiers qui sillonnent le Marais aux Scorpions et il vous faudra dresser une carte à mesure que vous progresserez. A la différence de la plupart des aventures dont vous êtes le héros, le Marais aux Scorpions vous donne le droit de revenir sur vos pas. La carte que vous dessinerez constituera un accessoire indispensable qui pourrait bien vous sauver la vie si vous savez en faire un usage judicieux. Presque tous les épisodes de votre quête se dérouleront dans les clairières qui parsèment le Marais aux Scorpions. Pour vous aider à établir votre carte, toutes les clairières ont été numérotées. Un ou plusieurs sentiers mènent à chacune de ces clairières ; ces sentiers sont orientés au nord, au sud, à l'ouest ou à l'est. Parfois, un sentier peut suivre un tracé sinueux mais sa direction générale restera toujours la même. C'est là un point important ; en effet, si par exemple vous quittez une clairière en empruntant un sentier orienté au sud, vous entrerez automatiquement dans la clairière suivante par le nord et inversement. Ce principe devrait vous éviter de rebrousser chemin accidentellement. Chaque fois que vous entrerez dans une clairière, notez bien la direction dans laquelle vous marchiez ; ces indications pourront vous être utiles par la suite. Dans certaines de ces clairières, vous rencontrerez des personnages ou des créatures qui se révèleront, selon les cas, amicaux ou hostiles ; il en est qui vous aideront, d'autres qui vous attaqueront ou qui essaieront d'une manière ou d'une autre de vous porter préjudice. Il vous appartiendra alors de décider vous-même du meilleur comportement à adopter lors de chacune de ces rencontres. Au cours de vos pérégrinations, il arrivera que vous reveniez dans une clairière que vous connaissez déjà. Dans ce cas, certaines instructions vous seront parfois données en caractère italique et vous devrez vous y conformer. Si en revanche, aucune instruction particulière ne vous est spécifiée, vous poursuivrez votre chemin à la manière habituelle. Voici, à titre d'exemple, un plan imaginaire d'une partie du Marais ; aidez-vous de ce modèle pour établir votre propre carte. Comme vous pouvez le constater, ce joueur a pris soin de noter le numéro de chaque clairière ainsi que le nom des créatures qu'il y a rencontrées. Il a également tracé les sentiers qui conduisent à chacune des clairières ce qui lui permettra s'il revient dans l'une d'elles de savoir par avance dans quelles directions il pourra poursuivre son chemin.

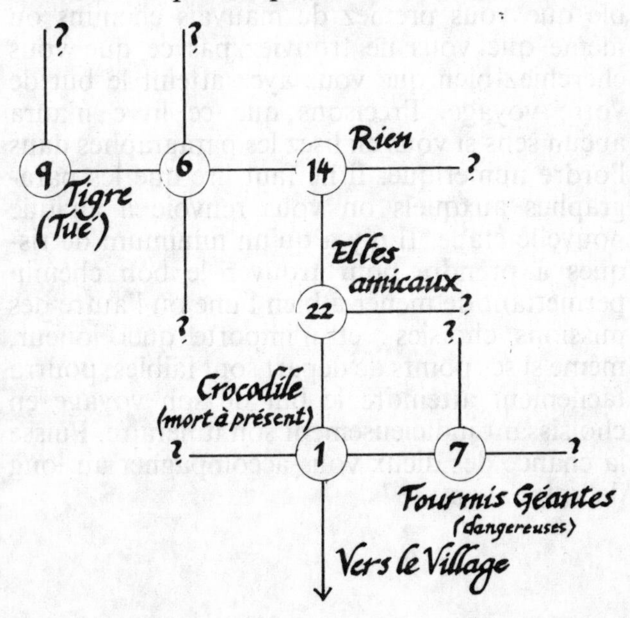

Indications sur le jeu

Au début de votre aventure dans le Marais aux Scorpions, vous aurez le choix entre trois quêtes possibles. Pour chacune d'elles, il existe un itinéraire idéal qu'il faut s'efforcer de découvrir. Prenez des notes au fur et à mesure et tracez soigneusement votre carte, elle peut vous sauver la vie... Elle vous sera d'ailleurs précieuse lorsque vous jouerez à nouveau, car vous pourrez alors vous rendre plus facilement dans des régions encore inexplorées. On ne trouve pas de trésors dans toutes les clairières ; certaines d'entre elles ne vous réservent que de mauvaises surprises : pièges mortels ou créatures hostiles. Il est possible que vous preniez de mauvais chemins ou même que vous ne trouviez pas ce que vous cherchiez bien que vous ayez atteint le but de votre voyage. Précisons que ce livre n'aura aucun sens si vous en lisez les paragraphes dans l'ordre numérique. Il ne faut lire que les paragraphes auxquels on vous renvoie à chaque nouvelle étape. Il n'y a qu'un minimum de risques à prendre pour trouver le bon chemin permettant de mener à bien l'une ou l'autre des missions choisies ; et n'importe quel joueur, même si ses points de départ sont faibles, pourra facilement atteindre le but de son voyage en choisissant judicieusement son itinéraire. Puisse la chance des dieux vous accompagner au long de votre aventure !

La Sorcière et l'Anneau

Vous êtes un aventurier intrépide qu'aucun péril, si grand qu'il fût, n'a jamais fait reculer. Vous n'êtes pas inconscient, cependant, et vous avez toujours eu la sagesse de ne pas vous hasarder dans le Marais aux Scorpions. Votre vie durant, vous avez entendu parler de ce bourbier répugnant et des immondes créatures qui le peuplent. Mais, d'après les récits qu'on vous a faits, ce ne sont pas tant ces créatures qui représentent le plus grand danger de ce marécage inextricable, ni même les sorciers ou les brigands qui hantent ses chemins. Non, la raison pour laquelle si peu d'aventuriers sont revenus du Marais, c'est qu'il est sillonné d'innombrables sentiers menant dans toutes les directions, et dont le tracé sinueux égare à coup sûr quiconque vient s'y risquer. Personne n'a jamais pu dresser une carte de cette région et ceux qui s'y sont essayé ne sont plus là pour le raconter. Un brouillard maléfique y obscurcit le ciel en permanence, rendant impossible toute tentative de s'orienter d'après les étoiles, et les boussoles elles-mêmes en perdent le nord. Elles indiquent indifféremment l'ouest, l'est ou le sud-sud-est et vous font tourner en rond jusqu'à ce que vos forces vous abandonnent. Il n'est pas étonnant, dans ces conditions, que vous vous soyez toujours tenu à l'écart du Marais ; mais voici que le destin se mêle de vous faire changer d'avis... Vous cheminez, en effet, le long de la route du Roi, lorsque vous apercevez soudain une vieille femme recroquevillée dans la poussière. Vous la portez aussitôt à l'ombre d'un arbre et vous lui faites boire un peu d'eau à votre gourde. Quelques instants plus tard, elle reprend connaissance et la voilà sur pied ; vous ne voulez cependant pas la laisser repartir seule, et, pour être sûr qu'elle est tout à fait remise, vous l'accompagnez jusqu'à la ville voisine. Parvenus sur la Place du Marché, vous prenez alors congé d'elle. « Soyez béni pour votre gentillesse, dit-elle au moment où vous allez la quitter, prenez ceci en signe de reconnaissance et puissiez-vous ne plus jamais perdre votre chemin. » En prononçant ces paroles, elle vous a donné un Anneau de Cuivre dont l'aspect n'a rien de remarquable et lorsque vous le passez à votre doigt en la remerciant d'un sourire, il vous semble trop grand pour vous. Mais une heure plus tard, tandis que vous marchez à nouveau sur la route du Roi, vous remarquez tout à coup que l'anneau s'est rétréci et qu'à présent, il vous va à merveille. La vieille femme vous a fait don d'un anneau magique ! Vous n'allez pas tarder à en apprendre davantage sur les vertus de cette bague de cuivre ; la vieille femme était sans nul doute une sorcière aux grands pouvoirs et elle ne vous a pas donné sa bénédiction à la légère. Car aussi longtemps que vous garderez cet anneau à votre doigt, vous saurez toujours où est le nord. Et même dans la plus sombre forêt,

même dans les rues les plus tortueuses, jamais vous ne perdrez votre chemin. De plus, l'Anneau de Cuivre se met à chauffer toutes les fois que vous vous trouvez en présence d'un être malfaisant, même s'il vous fait de grandes démonstrations d'amitié. Vous avez passé une semaine dans la forêt en compagnie de brigands ; ce sont là des hommes rudes et brutaux et pourtant, ils savent faire preuve, à leur manière, d'une certaine honnêteté. Aussi l'anneau est-il resté froid tout au long de votre séjour avec eux. En revanche, lorsque vous avez exploré certaines grottes alentour, il vous a averti qu'un danger vous guettait : on s'y livrait, quelque part dans leurs profondeurs, à des pratiques de magie noire et sans doute étaient-elles hantées par quelques morts vivants. Lorsque plus tard, vous avez traversé des villes, vous vous êtes aperçu que grâce à l'anneau, aucun escroc, aucun marchand véreux ne pouvait plus vous tromper. La vieille femme vous a donc fait là un cadeau d'une valeur inestimable pour un aventurier tel que vous ! Et maintenant que vous connaissez toutes ses propriétés, vous souhaitez mettre cette bague au service d'une ambition digne de ses pouvoirs. Or, que peut-on concevoir de plus ambitieux que l'exploration du Marais aux Scorpions ? Vous avez désormais les moyens de vous lancer dans cette aventure et - qui sait ? - d'en tirer quelque bon profit... C'est donc avec des rêves de gloire et de fortune que vous décidez de marcher en direction du Marais, prêt à affronter pour la première fois ses étendues bourbeuses et nauséabondes.
Et maintenant, tournez la page !

1 *Vous faites grande impression lorsque vous annoncez votre projet d'explorer le Marais aux Scorpions.*

1

Le chemin est long pour arriver jusqu'au Marais qui s'étend à l'extrême ouest du royaume, et votre voyage abonde en péripéties qu'un novice aurait qualifiées d'aventures. Mais pour vous, combattre des Orques et des Gobelins, affronter de malfaisants sorciers ou tailler en pièces des loups géants n'est que routine quotidienne. A mesure que vous progressez vers l'ouest, les montagnes se changent en collines, les collines en plaines et les plaines en basses terres au sol humide : le Marais aux Scorpions n'est plus très loin. A votre entrée dans la petite bourgade de Bourbenville, personne ne vous prête attention car les voyageurs ne sont pas rares dans la région. Votre heaume d'acier et votre épée à la longue lame effilée indiquent que vous êtes un aventurier avec lequel il faut compter, mais il n'y a rien là d'extraordinaire pour les habitants de l'endroit. Vous faites plus grande impression cependant lorsque, installé au beau milieu d'une taverne, vous annoncez à qui veut l'entendre votre projet d'explorer le Marais aux Scorpions. Aussitôt, tous les autres clients se rassemblent autour de vous en repoussant les tables pour faire de la place. « Explorer le Marais ? s'écrie-t-on d'une même voix. Vous n'y pensez pas ! D'autres s'y sont essayé avant vous, et leurs os blanchissent dans ses profondeurs ! C'est une région inextricable, infestée de vermine, de monstres et de brigands affamés ; par surcroît, un clan de sorciers qui se sont eux-mêmes baptisés les Maîtres a récemment revendiqué la propriété de tout le territoire. L'un de ces mages, un colosse brutal, accompagné de deux loups gris, est venu dans cette même taverne la semaine précédente. Il n'a pas dit grand-chose, mais, de toute évidence, il n'était pas du genre à accueillir à bras ouverts ceux qui se risqueraient à pénétrer sur ses terres. » Tous les villageois sont convaincus que vous allez vers une mort certaine si vous persistez dans votre projet. « Il n'est pas question qu'on vous laisse partir là-bas disent-ils. », et l'un d'eux a même l'audace de poser sa main calleuse sur votre épaule pour vous empêcher de quitter la taverne. Qu'allez-vous faire ?

Tirer votre épée pour leur montrer qu'il ne fait pas bon se mettre en travers de votre chemin ? Rendez-vous au **48**

Leur expliquer poliment que votre décision est irrévocable ? Rendez-vous au **95**

2

Votre histoire le fascine, et, bientôt, il se lève d'un mouvement lent puis s'approche d'une table sur laquelle un globe est posé. Il le fait alors tourner sur son axe, révélant à l'intérieur de la sphère une cachette où sont empilées des Pièces d'Or. Il y en a tant que les yeux vous sortent de la tête. « Accepteriez-vous de me le vendre ? demande Pompatarte avec un sourire. Je vous en offre cent Pièces d'Or fin. » Si vous acceptez son offre, rendez-vous au **49.** Si vous préférez refuser, rendez-vous au **173.**

3

Moins de deux kilomètres plus loin, vous trébuchez dans un trou, et vos deux pieds s'enfoncent aussitôt dans la vase. Vous essayez en vain de vous dégager en agrippant une plante, mais sa tige casse, et vous vous enlisez plus profondément encore. De petits cris retentissent alors derrière vous. Vous vous efforcez d'empoigner votre épée, mais des dents pointues se plantent dans votre main et, quelques instants plus tard, des dizaines de rats sont sur vous. Il vous est impossible de vous enfuir ou de les combattre et bientôt, ainsi que l'avaient prédit les gens du village, il ne reste plus de vous qu'un squelette sur lequel vient se refléter la lumière pâle qui filtre entre les arbres. Votre aventure est terminée. La prochaine fois vous saurez que, sans le secours de la magie, on ne sort pas vivant du Marais aux Scorpions.

4

Le sorcier éclate d'un rire mauvais. « Je ne vais certainement pas gaspiller mon énergie à combattre un aussi piètre adversaire, lance-t-il avec mépris, mais exercez donc votre bravoure contre ceci... » Il fait alors un signe de la main en direction de la STATUE D'UN GOBELIN qui se dresse à l'abri d'une niche aménagée dans le mur. La statue s'avance aussitôt vers vous en brandissant son épée de pierre. Si vous voulez la combattre, rendez-vous au **284.** Si vous préférez attaquer Stratagus lui-même, rendez-vous au **123.**

5

Tentez votre Chance. Si vous êtes Chanceux, rendez-vous au **273.** Si vous êtes Malchanceux, rendez-vous au **297.**

6

Vous revenez dans la maison de Gayolard. Un feu brûle dans la cheminée de la cuisine et une délicieuse odeur se répand alentour : quelque mets délectable est en train de mijoter dans la marmite. Le sorcier vous accueille avec cordialité et vous pose aussitôt cette question : « Avez vous la baie ? » Si vous avez réussi à lui rapporter le fruit violet de l'Anthérique, rendez-vous au **175.** Sinon, rendez-vous au **52.**

7

Le visage du mauvais sorcier s'assombrit et les dessins de sa robe se mettent à danser devant vos yeux d'une manière menaçante. « C'est toujours mieux que rien, marmonne-t-il. Donnez-moi ce que vous avez et vous recevrez 250 Pièces d'Or en échange. » Si vous acceptez son offre, rendez-vous au **266.** Si vous préférez lui rappeler qu'il vous avait promis davantage, rendez-vous au **207.**

4 *La Statue d'un Gobelin s'avance aussitôt vers vous, en brandissant son épée de pierre.*

8

« C'est dommage, soupire-t-il, il faudra que je trouve quelqu'un d'autre. S'il vous reste quelques-unes des Pierres de Magie que je vous ai données, je vous les échange contre une Potion de Guérison. » Qu'allez-vous faire ?

Échanger les Pierres qui vous restent contre la Potion ? Rendez-vous au **141**

Lui expliquer que vous les avez toutes utilisées ? Rendez-vous au **316**

Attaquer Pompatarte ? Rendez-vous au **341**

9

Vous vous trouvez à la lisière sud du Marais aux Scorpions. Grâce à l'Anneau de Cuivre, vous saurez toujours où est le nord, mais il vous faut quand même tracer une carte sur laquelle devront figurer tous les sentiers que vous emprunterez et les clairières que vous explorerez (voir page 21 les indications concernant la manière d'établir cette carte). Vous découvrez très vite un sentier orienté au nord qui s'enfonce à l'intérieur du Marais. Quelques mots peints grossièrement sur un roc vous donnent cet avertissement : ATTENTION ! MARAIS AUX SCORPIONS ! FAITES DEMI-TOUR ! Deux tibias croisés surmontés d'un crâne complètent cette recommandation dont, bien entendu, vous ne tenez aucun compte. D'une démarche assurée, vous franchissez la lisière du marécage et vous comprenez aussitôt qu'il serait tout à fait imprudent de vous aventurer dans la vase qui borde le sentier.

Il vous faut suivre celui-ci jusqu'au bout sans vous en écarter le moins du monde. Rendez-vous au **195.**

10

Les arbres noueux s'écartent bientôt devant vous, et vous entrez dans une autre clairière. *C'est la Clairière n° 5. Si vous y êtes déjà venu, rendez-vous au* **142.** *Si c'est la première fois que vous y pénétrez, lisez ce qui suit.* Vous constatez aussitôt qu'on s'est battu ici. Le sol a été piétiné, l'herbe humide est tachée de sang et deux flèches sont plantées dans un arbre un peu plus loin. Si vous souhaitez examiner cette clairière pour voir ce qu'elle recèle, rendez-vous au **59.** Si vous préférez la quitter le plus vite possible, rendez-vous au **227.**

11

En progressant vers l'ouest, le Marais devient plus sinistre encore et vous êtes en train de vous demander si vous pourrez en supporter davantage lorsque enfin le sentier s'élargit pour aboutir à une étroite et longue échappée. *C'est la Clairière n° 6. Si vous y êtes déjà venu, rendez-vous au* **210.** *Sinon, continuez à lire ce qui suit.* Vous jetez un coup d'œil autour de vous : il n'y a aucun autre sentier. Il semble que vous soyez arrivé dans un cul-de-sac. Vous vous approchez alors d'un grand rocher gris sur lequel vous comptez vous allonger pour prendre quelque repos. Mais, soudain, le rocher bouge ! Cette couleur grise n'était pas celle de la pierre mais d'un pelage rêche. Deux yeux rouges vous fixent d'un regard furieux et une BÊTE IMMONDE dotée de six pattes griffues, s'avance aussitôt vers vous. Qu'allez-vous faire ?

La combattre ? Rendez-vous au **176**

Prendre la *Fuite* ? Rendez-vous au **102**

Essayer de lui jeter un sort ? Rendez-vous au **374**

12

Le GÉANT se bat en poussant des cris de fureur. Il est doué d'une force extraordinaire mais, par chance pour vous, ses gestes sont plutôt maladroits et sa massue ne vous frappe que rarement. Lorsqu'elle atteint son but, cependant, vous perdez 4 points d'ENDURANCE au lieu de 2 en raison de la puissance du coup. Aussi, faites attention !

GÉANT HABILETÉ : 9 ENDURANCE : 12

Si vous parvenez à réduire à 6 les points d'ENDURANCE du Géant, rendez-vous au **61.** Vous pouvez également essayer de prendre la *Fuite* au cours du combat, mais rappelez-vous que les coups de votre adversaire vous infligent une double blessure. Vous perdrez donc 4 points d'ENDURANCE en vous échappant. Si vous parvenez malgré tout à vous enfuir, rendez-vous au **161.**

13

« Je suis un guerrier en mission », répliquez-vous. Votre Anneau ne vous avertit d'aucun danger et vous parlez donc au Maître des Grenouilles sans éprouver la moindre inquiétude. Quel sorcier avez-vous choisi de servir ?

Gayolard ?	Rendez-vous au **212**
Stratagus ?	Rendez-vous au **287**
Pompatarte ?	Rendez-vous au **376**

14

Le sentier vous mène à une petite clairière où, quelques années plus tôt, un arbre immense s'est abattu en entraînant dans sa chute plusieurs autres arbres. *C'est la Clairière n° 32. Si vous y êtes déjà venu, rendez-vous au* **338.** *Sinon, lisez ce qui suit.* En vous approchant, vous entendez des bruits de lutte. Derrière un large tronc, vous apercevez alors un SCORPION GÉANT en train de se battre avec un Nain vêtu d'une cuirasse. Le Nain est en difficulté : au moment où vous apparaissez, le Scorpion l'a pris par le cou dans l'une de ses pinces et le précipite sur le

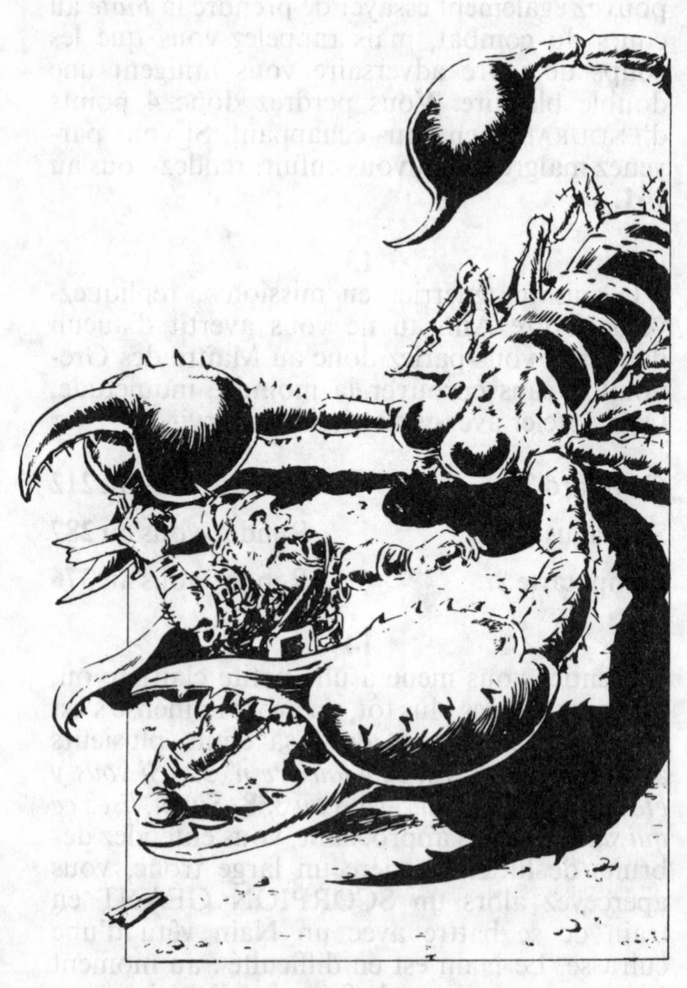

14 *Vous apercevez un Scorpion Géant en train de se battre avec un nain vêtu d'une cuirasse.*

sol où il reste étendu sans vie. Il vous semble peu probable que vos Pierres de Magie puissent avoir quelque effet sur un tel adversaire. Si vous souhaitez quitter la clairière tandis que le monstre dévore sa victime, rendez-vous au **88.** Si vous choisissez en revanche d'attaquer le Scorpion, rendez-vous au **312.**

15

Qu'allez-vous lui proposer ?

Un Aimant d'Or ?	Rendez-vous au **63**
Une Amulette appartenant à l'un des autres Maîtres ?	Rendez-vous au **198**
Un énorme joyau violet ?	Rendez-vous au **276**
Rien de tout cela ?	Rendez-vous au **212** pour faire un autre choix

16

Quelque chose dans votre voix vous trahit. Il fait des gestes de la main en vous fixant d'un regard inquisiteur. Est-il en train de lire dans vos pensées ? Rendez-vous au **198.**

17

Si cet homme est malfaisant, vous ne voulez rien avoir à faire avec lui et vous traversez la clairière sans lui prêter attention. Cependant, au moment où vous allez rejoindre le sentier, une cordelette s'enroule autour de votre cou. Vous vous débattez, mais le voleur vous étrangle et vous vous écroulez sur le sol, sans connaissance.

Vous perdez aussitôt 3 points d'ENDURANCE. Lorsque vous reprenez conscience, vous vous sentez mal et vous avez le tournis. De plus, toutes vos Pierres et vos autres objets magiques ont disparu, et il n'y a plus trace du voleur. Rendez-vous au **179.**

18

Lorsqu'ils vous voient les charger en brandissant votre épée, les Brigands prennent peur, et tous les cinq s'enfuient parmi les arbres qui bordent la clairière. Vous ne vous arrêtez pas pour autant et vous traversez la clairière en courant et en hurlant. Les Brigands désemparés ne songent même pas à vous poursuivre. Rendez-vous au **19.**

19

Deux sentiers permettent de quitter la clairière. L'un, orienté au nord, est beaucoup plus large et mieux tracé, comme si de nombreux voyageurs l'avaient emprunté. Dans quelle direction allez-vous poursuivre votre chemin ?

Vers le nord ? Rendez-vous au **280**

Vers l'est ? Rendez-vous au **137**

20

Le fruit a un goût délicieux et vous sentez une impression de bien-être se répandre dans tout votre corps. Vous récupérez 2 points d'ENDURANCE et 1 de CHANCE. Vous ne découvrez rien d'intéressant par ailleurs et vous vous rendez au **342.**

21

Vous vous reposez quelques minutes et vous récupérez 1 point d'ENDURANCE. Vous entendez alors un bruit à l'intérieur de l'arbre. Si vous souhaitez savoir ce qui se cache dans cet arbre, rendez-vous au **55.** Si vous préférez ne pas vous en préoccuper, rendez-vous au **390.**

22

Lorsque vous mettez les graines dans votre poche, de nouvelles pousses apparaissent déjà à la base des arbres. Il vous faut partir au plus vite. Quelle direction allez-vous prendre ?

Le nord ?	Rendez-vous au **320**
Le sud ?	Rendez-vous au **90**
L'ouest ?	Rendez-vous au **11**

23

L'Anneau de Cuivre reste froid, ce qui vous indique que la Maîtresse des Oiseaux est une sorcière bienfaisante. Vous lui expliquez alors l'objet de votre quête et vous lui demandez son aide. « Ce marchand est idiot, dit-elle en hochant la tête, car même s'il parvient à se procurer une carte du Marais, les sorciers malhonnêtes qui hantent les lieux s'efforceront de piller ses roulottes. Mais vous êtes un aventurier courageux et je vais vous aider à éviter les plus grands dangers de votre voyage. » Rendez-vous au **248.**

24

Le Feu Follet danse devant vous et vous le suivez. Le sol devient bientôt de plus en plus humide, et vous tombez soudain dans un trou rempli de vase. Le Feu Follet disparaît alors : il n'était là que pour tromper les voyageurs imprudents dans votre genre et contribuer à leur perte. *Tentez votre Chance*. Si vous êtes Chanceux, vous parvenez à vous extraire sans dommage de la vase. Si vous êtes Malchanceux, vous arrivez malgré tout à vous hisser hors du trou, mais au prix de tels efforts que vous perdez 2 points d'ENDURANCE. Vous vous tenez enfin sur un sol plus ferme et vous vous félicitez de posséder l'Anneau de Cuivre car, sans lui, vous seriez irrémédiablement perdu. Heureusement, vous savez grâce à sa magie quel chemin il convient de prendre pour trouver la clairière. Rendez-vous au **249.**

25

L'Aigle lance un cri et vole en cercle autour de la clairière, puis il s'éloigne vers son nid. Vous pouvez vous estimer heureux de repartir sans dommage ! Rendez-vous au **202.**

26

Vous sentez que le MAÎTRE DES ARAIGNÉES est un personnage profondément malfaisant et vous l'attaquez avec votre épée. Il se défend en brandissant une baguette magique luisante, dont l'extrémité est très pointue et enduite d'une substance verdâtre et pestilentielle. Chaque fois que vous recevrez un coup de cette baguette magique, vous perdrez 1 point d'ENDURANCE supplémentaire (3 au lieu de 2).

MAÎTRE DES ARAIGNÉES HABILETÉ : 9 ENDURANCE : 6

Si vous parvenez à le tuer, rendez-vous au **354.**

27

Grognard vous conseille d'aller chercher Pompatarte au marché du village. Mais dès que vous pénétrez dans le dédale de rues où s'alignent un nombre impressionnant de boutiques, vous êtes complètement perdu. Vous demandez votre chemin à plusieurs reprises et, finalement, un groupe d'enfants d'humeur joyeuse vous conduit devant une grande maison qui s'élève en bordure du marché. Vous frappez à la porte et c'est un Gobelin qui vous ouvre ! Ou plutôt une Gobeline qui fait office de servante et n'a rien à voir avec les guerriers Gobelins que vous avez eu l'occasion de combattre. Elle vous mène dans une bibliothèque où Pompatarte est assis. C'est l'un des hommes les plus étranges que vous ayez jamais vus... Il est très grand et obèse avec une longue barbe soigneusement nouée en tresses et une peau d'un rouge brillant ! Vous lui racontez

27 *Pompatarte est très grand et obèse, avec une longue barbe soigneusement nouée en tresses*

aussitôt votre histoire en lui demandant s'il a besoin de quelqu'un tel que vous. « J'en ai besoin, en effet, marmonne-t-il, mais qu'est-ce qui vous fait croire que vous pourrez survivre dans le Marais aux Scorpions alors que tant d'autres n'en sont jamais revenus ? » Si vous souhaitez lui parler de la Vieille Femme et de l'Anneau de Cuivre que vous portez au doigt, rendez-vous au **2.** Si vous préférez lui adresser un sourire en lui assurant que vous êtes un guerrier hors pair, rendez-vous au **173.**

28

Il y a plusieurs ARBRES-ÉPÉES, mais vous les combattrez comme s'il s'agissait d'un seul et même adversaire. Vous avez un avantage sur eux : ils ne peuvent pas vous voir et ne vous repèrent que par les sons que vous émettez. Ces arbres sont nombreux cependant, et chacun d'eux est doté de plusieurs branches qui brandissent des lames acérées.

ARBRES-ÉPÉES HABILETÉ : 9 ENDURANCE : 12

Si vous parvenez à les vaincre, rendez-vous au **362.** Dans le cas contraire, votre cadavre leur servira d'engrais.

29

Vous vous rendez compte qu'il serait tout à fait stupide de révéler à cet homme que vous vous êtes mis au service d'un sorcier malfaisant. Aussi lui répondez-vous par un mensonge. « Je sers les forces du Bien, assurez-vous. Mais pour l'instant, je voudrais simplement trouver le chemin qui me permettra de sortir du Marais. Je cherche l'un de ces sorciers que l'on appelle les Maîtres. » *Tentez votre Chance.* Si vous êtes Chanceux, rendez-vous au **185.** Si vous êtes Malchanceux, rendez-vous au **378.**

30

Vous commencez par jeter vos Bottes et votre Sac à Dos au bas de la falaise, puis vous plongez vous-même. Hélas ! vous vous rendez très vite compte, mais trop tard, que l'eau est peu profonde et le lit de la rivière, recouvert d'une épaisse couche de vase. Vous voilà enlisé. Vous parvenez cependant à vous dégager, mais lorsque vous atteignez enfin la surface de l'eau, vous vous trouvez nez à nez avec un Crocodile aux mâchoires grandes ouvertes. Vous empoignez votre épée, mais votre geste est vain : les mâchoires se referment sur vous et votre aventure se termine dans l'estomac du reptile.

31

En poursuivant votre marche, vous sentez que vous allez trop loin vers l'est depuis votre entrée dans le marécage. Vous vous demandez alors si vous avez pris le bon chemin et, soudain, vous entrez dans une clairière envahie d'herbes. *C'est la Clairière n° 21. Si vous y êtes déjà venu, rendez-vous au* **364.** *Sinon, lisez ce qui suit.* Vous trouvez au milieu de la clairière un bassin rempli d'une eau qui semble pure comme le cristal. Une petite plage de sable fin borde l'un des côtés du bassin. Aucun autre chemin ne permet de sortir de la clairière en dehors de celui par lequel vous êtes arrivé. Qu'allez-vous faire ?

Quitter les lieux en retournant vers l'ouest ? Rendez-vous au **47**

Attendre quelques minutes pour voir si aucun danger ne vous menace ? Rendez-vous au **394**

Boire l'eau du bassin ? Rendez-vous au **77**

32

Vous coupez les fleurs à grands coups d'épée, mais elles sont en trop grand nombre pour que vous puissiez toutes les abattre et vous vous épuisez vainement. Vos efforts vous coûtent 2 points d'ENDURANCE et 1 point d'HABILETÉ. Si vous préférez abandonner la partie et vous enfuir, rendez-vous au **269.** Si vous souhaitez faire usage de magie, rendez-vous au **80.**

33

Vous vous hâtez de traverser la clairière en espérant éviter une nouvelle attaque de l'Herbe à Pinces. Hélas ! elle se dresse encore plus vite devant vous et ses redoutables tenailles vertes s'ouvrent avidement en essayant de vous attraper. Si vous souhaitez combattre l'Herbe à Pinces à coups d'épée, rendez-vous au **134.** Si vous préférez recourir à la magie, rendez-vous au **167.**

34

Quelle Pierre de Magie allez-vous utiliser contre le Monstre du Bassin ?

Flétrissure ?	Rendez-vous au **237**
Feu ?	Rendez-vous au **291**
Terreur ?	Rendez-vous au **356**
Aucune d'entre elles ?	Rendez-vous au **209** pour un nouveau choix

35

Cette fois encore, les Orques visent mal et les deux flèches vous manquent, mais, soudain, elles décrivent une courbe et viennent se planter dans votre Sac à Dos ! Une seule d'entre elles parvient à vous égratigner l'épaule et vous perdez 1 point d'ENDURANCE. Vous vous rendez compte alors que l'Aimant d'Or est maudit et qu'il attire les flèches... Vous avez de la chance de l'avoir rangé dans votre Sac à Dos plutôt que de le porter directement sur vous ! Qu'allez-vous faire à présent ?

Attaquer avec votre épée ? Rendez-vous au **281**

Recourir à la magie ? Rendez-vous au **399**

Prendre la *Fuite* ? Rendez-vous au **309**

36

Vous expliquez le but de votre quête au Maître des Jardins. Si vous avez déjà découvert le buisson d'Anthérique, rendez-vous au **283,** sinon, rendez-vous au **396.**

37

Si vous souhaitez dire la vérité au sujet de votre quête, rendez-vous au **292.** Si vous préférez inventer une histoire et bavarder quelques moments, rendez-vous au **220.**

38

La Vase est morte et ses restes se putréfient à vue d'œil. Il s'en dégage une odeur insupportable. Rendez-vous au **153.**

39

Vous jetez un sort d'Amitié à la Licorne qui vous regarde d'un air soupçonneux. De toute évidence, elle ne se fie pas aux humains. Votre magie fait cependant de l'effet car elle finit par se désintéresser de vous pour brouter l'herbe de la clairière. Rendez-vous au **348.**

40

Dominant votre peur, vous vous approchez de la sinistre tour. Des Chauves-Souris volent en tournoyant autour de son sommet. En vous approchant, vous remarquez une tête hideuse sculptée sur la porte de fer. La porte s'ouvre alors devant vous et Stratagus qui vous attend apparaît. Il est grand, d'une maigreur squelettique et porte une toge noire sur laquelle sont brodés des motifs écarlates qui semblent étinceler. Il vous accueille aimablement, mais l'Anneau continue de diffuser sa chaleur autour de votre doigt, vous avertissant ainsi que vous êtes en présence d'un être maléfique. « Je sais tout de vous, dit Stratagus, vous voulez explorer le Marais, et Grognard, ce fouineur imbécile, vous a envoyé ici. Mais qui vous fait croire que vous êtes digne de me servir ? J'ai besoin d'un héros qui n'ait peur de rien. » Qu'allez-vous faire ?

Lui lancer un défi ? Rendez-vous au **4**

Lui affirmer que vous êtes un guerrier intrépide et que, grâce à votre Anneau Magique, vous ne perdrez jamais votre chemin ? Rendez-vous au **50**

Vous contenter de sourire en lui déclarant que vous n'avez peur de rien ? Rendez-vous au **97**

40 *Vous vous approchez de la sinistre tour. Des chauves-souris volent en tournoyant autour de son sommet.*

41

Vous entrez dans une clairière entourée d'arbres dont les troncs sont recouverts de lierre. *C'est la Clairière n°30. Si vous y êtes déjà venu, rendez-vous au* **382.** *Sinon, lisez ce qui suit.* Apparemment, il n'y a rien d'intéressant alentour et vous vous apprêtez donc à repartir lorsque vous vous trouvez soudain pris dans des sables mouvants ! *Tentez-votre Chance.* Si vous êtes Chanceux, vous perdez 2 points d'ENDURANCE et vous vous rendez au **270.** Si vous êtes Malchanceux, rendez-vous au **87.**

42

Vous fouillez le corps du malheureux Nain dans l'espoir de découvrir quelque chose d'intéressant. Son armure, bien entendu, est trop petite pour vous, mais, dans une poche attachée à sa ceinture, vous trouvez une fiole de potion. Si vous décidez de boire ce liquide, rendez-vous au **253.** Si vous préférez ne pas tenter l'expérience, rendez-vous au **88.**

43

Tentez votre Chance. Si vous êtes Chanceux, rendez-vous au **339.** Si vous êtes Malchanceux, rendez-vous au **313.**

44

Personne ne vous attaque lorsque vous traversez le cours d'eau, mais en atteignant l'autre rive, vous vous apercevez avec dégoût que de grosses Sangsues se sont accrochées à vos jambes et vous sucent le sang ! Lancez deux dés et réduisez votre total d'ENDURANCE d'un nombre de points égal au plus bas des deux chiffres obtenus. Si vous faites un double, vous perdrez autant de points d'ENDURANCE que le chiffre indiqué par l'un et l'autre dé. Vous pourrez ensuite (si vous êtes toujours vivant) prendre la direction du nord ou du sud. Si vous souhaitez aller au nord, rendez-vous au **157.** Si vous préférez aller au sud, rendez-vous au **398.**

45

Vous vous méfiez de ce pont qui vous paraît trop simple : il doit sans doute dissimuler un piège quelconque. Vous rebroussez donc chemin dans la direction d'où vous êtes venu. Si vous veniez du nord, rendez-vous au **331.** Si vous veniez du sud, rendez-vous au **303.**

46

Il n'y a pas grand-chose à faire en cet endroit, à part essayer d'entrer dans la hutte, mais la porte semble en avoir été verrouillée par quelque tour de magie car il est rigoureusement impossible de l'ouvrir. Vous décidez donc de repartir et vous vous rendez au **314.**

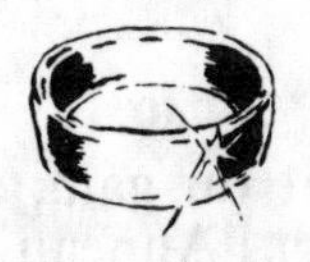

47

Vous arrivez dans une petite clairière envahie d'herbes. *C'est la Clairière n°3.* Vous jetez un regard autour de vous mais vous ne découvrez rien d'intéressant. Trois chemins permettent de quitter cette clairière. Quelle direction allez-vous prendre ?

Le sud ? Rendez-vous au **290**

L'est ? Rendez-vous au **31**

L'ouest ? Rendez-vous au **118**

48

Vous empoignez le pommeau de votre épée, prêt à dégainer, et vous leur lancez un défi d'une voix retentissante. Votre attitude, cependant, ne les impressionne pas le moins du monde : elle les fait même éclater de rire. « Nous ne sommes pas du genre bagarreur, vous disent-ils. Il n'y a ici que de simples villageois, mais un gaillard tel que vous, toujours prêt à brandir son épée, devrait bien en effet aller faire un tour dans le Marais. Pour les gens de votre espèce qui passent leur temps à chercher des ennuis, c'est l'endroit idéal. Et nous ne vous retiendrons pas plus longtemps. » Vous vous sentez alors quelque peu gêné et vous perdez 1 point de CHANCE pour vous être montré agressif envers ces paisibles villageois. Rendez-vous ensuite au **95.**

49

Poussé par l'appât du gain, vous ôtez prestement de votre doigt l'Anneau de Cuivre et vous le lancez sur la table. Pompatarte vous compte alors cent Pièces d'Or et les glisse dans un sac qu'il vous tend. Vous avez désormais suffisamment d'argent pour vivre plusieurs années sans rien faire. Si vous préférez dépenser sans compter, ce sont quelques mois d'une existence fastueuse qui vous attendent à dater d'aujourd'hui... Mais l'Anneau de Cuivre ne vous appartient plus et, sans lui, il n'est plus question de vous risquer dans le Marais aux Scorpions. Votre aventure s'achève donc avant d'avoir commencé.

50

Il écoute votre histoire avec grand intérêt. « Un anneau magique ? Vraiment ? » s'étonne-t-il. Vous hochez la tête et vous tendez la main vers lui pour qu'il puisse voir l'Anneau de Cuivre briller à votre doigt. Ses yeux alors s'agrandissent et il recule d'un pas tout en faisant un geste étrange de la main. Vous vous doutez qu'il est en train de se livrer à quelque passe magique. Qu'allez-vous faire ?

Bondir sur lui pour l'attaquer ?	Rendez-vous au **373**
Attendre de voir ce qu'il va faire ?	Rendez-vous au **222**
Vous enfuir de cette tour ?	Rendez-vous au **315**

51

Une trappe s'ouvre devant vous, révélant une fosse. D'un bond, cependant, vous parvenez à sauter par-dessus et vous traversez le hall d'entrée en courant à toutes jambes. Une Statue essaye de vous arrêter, mais vous la repoussez et vous ouvrez la porte d'un coup de pied. La tête hideuse sculptée sur le panneau de fer tente de vous mordre sans succès et vous filez loin de la tour. Si vous souhaitez prendre la direction du Marais, rendez-vous au **296.** Si vous préférez courir vers le village, rendez-vous au **5.**

52

Vous n'avez malheureusement pas de baie à lui donner et tandis que vous racontez ce qui vous est arrivé dans le Marais, le visage de Gayolard s'assombrit. « Je suis sûr que vous avez fait de votre mieux », dit-il d'un air triste. En le voyant si déçu, vous lui proposez d'essayer à nouveau, mais il ne veut pas en entendre parler. « Ce serait courir de trop grands risques », objecte-t-il. Vous avez fait ce que vous pouviez. Hélas ! ce n'était pas suffisant, et votre aventure se termine ici.

53

Tandis que vous suivez le sentier en direction du sud, vous entendez coasser des milliers de grenouilles... Elles sont de toutes tailles, depuis les plus minuscules jusqu'aux plus énormes. Le sentier aboutit à une clairière parsemée de petites mares. *C'est la Clairière n° 8. Si vous y êtes déjà venu, rendez-vous au* **329.** *Sinon, lisez ce qui suit.* Vous voyez tout d'abord d'immenses champignons puis vous apercevez un homme assis sur l'un d'eux. Cet homme est tout petit mais corpulent, il a des yeux noirs et ses paupières sont agitées de battements brefs. Sa bouche est exceptionnellement large. Il porte au cou une amulette d'argent en forme de grenouille et deux énormes Grenouilles vertes sont assises de part et d'autre du champignon. « Je suis le MAÎTRE

53 *Le petit homme porte au cou une Amulette d'argent en forme de grenouille*

DES GRENOUILLES, dit-il aimablement. Qu'est-ce qui vous amène ici ? » Si vous souhaitez lui répondre avec la même amabilité, rendez-vous au **13.** Si vous préférez l'attaquer, rendez-vous au **62.**

54

Ses traits se convulsent sous l'effet de la fureur et il se met à hurler : « Comment osez-vous revenir les mains vides ? » *Tentez votre Chance.* Si vous êtes Chanceux, rendez-vous au **109.** Si vous êtes Malchanceux, rendez-vous au **285.**

55

Vous vous approchez de l'arbre avec prudence. Une forte odeur s'en dégage : quelque animal sauvage a sans doute établi là sa tanière. Et soudain, en effet, apparaît dans l'ouverture du tronc creux la tête hirsute d'un OURS de taille gigantesque. Si vous souhaitez vous enfuir, rendez-vous au **390.** Si vous préférez combattre l'Ours, rendez-vous au **200.**

56

Après avoir cheminé à travers champs et le long des rues sinueuses qui mènent à la place du marché, vous arrivez enfin devant la maison de Pompatarte. Vous frappez à la porte et la Gobeline vous fait entrer. Quelques instants plus tard, vous vous retrouvez dans la bibliothèque où Pompatarte est assis, vêtu d'une toge de soie. « Alors, comment vont nos affaires ? s'exclame-t-il d'emblée. M'avez-vous rapporté une carte qui permette d'atteindre Courbensaule ? » Si vous êtes effectivement allé jusqu'à Courbensaule, rendez-vous au **158.** Dans le cas contraire, rendez-vous au **8.**

57

Aucune des Pierres de Magie que vous possédez ne semble pouvoir vous aider dans la situation présente. Il ne vous reste donc plus qu'à tirer votre épée et à attaquer le malfaisant sorcier. Rendez-vous pour cela au **124**.

58

Tentez votre Chance. Si vous êtes Chanceux, vous parvenez à atteindre sans dommage le chemin que vous avez choisi. Si vous êtes Malchanceux, vous trébuchez contre une racine et vous vous cognez la jambe contre une pierre. Il en résulte une contusion qui vous coûte 1 point d'ENDURANCE. Vous pourrez ensuite quitter la clairière par le chemin de votre choix. Dans quelle direction souhaitez-vous aller ?

A l'ouest ? Rendez-vous au **398**

A l'est ? Rendez-vous au **105**

Au sud ? Rendez-vous au **208**

59

Vous avez donc décidé d'examiner cette clairière. Quelqu'un a peut-être besoin de votre aide ou peut-être pourrez-vous y découvrir quelque chose qui vous aidera vous-même dans la suite de votre aventure ? Or, un instant plus tard, vous trébuchez contre le cadavre d'un Orque des Marais. Vous fouillez rapidement la répugnante dépouille mais vous ne trouvez rien d'intéressant. Puis vous apercevez un homme blessé, assis par terre, le dos appuyé contre le tronc d'un arbre. Vous vous approchez pour le secourir, mais lorsque vous arrivez près de lui, il est déjà mort : trois flèches lui ont transpercé la poitrine. Deux autres Orques sont étendus à ses côtés. Il a défendu chèrement sa vie. En jetant un coup d'œil alentour, vous ne voyez ni armes ni paquetage : les Orques qui ont survécu à la bataille ont dû tout emporter. Vous vous efforcez de donner à l'homme mort une sépulture décente et tandis que vous vous agenouillez auprès de lui pour transporter son corps dans sa tombe, vous remarquez qu'il porte au cou un pendentif d'or en forme de petit aimant. Vous pouvez prendre ce pendentif si vous le désirez. Rendez-vous ensuite au **227**.

60

Vous avez donc décidé d'utiliser une Pierre d'Illusion : l'image que vous créez est celle d'un villageois sans défense qui court se mettre à l'abri des arbres pour échapper à la Bête Immonde. La créature assoiffée de sang se tourne alors vers cette proie plus facile et vous en profitez pour disparaître en revenant sur vos pas, le long du

59 *Vous apercevez un homme blessé, assis par terre, le dos appuyé contre le tronc d'un arbre.*

chemin par lequel vous êtes arrivé. Lorsque l'illusion s'évanouit, la Bête reste perplexe au milieu de la clairière, tandis que vous êtes déjà loin. Vous avez échappé à un grave danger, mais un autre vous attend que vous allez devoir affronter à nouveau en vous rendant au **279**.

61

« Ce n'est pas juste ! s'écrie le Géant avec colère. Dabord, vous, les petits, vous me volez mon bien et, ensuite, vous venez m'attaquer ! Moi, je ne veux de mal à personne ! » Si vous croyez ce qu'il dit, rendez-vous au **229**. Si vous préférez continuer à vous battre, vous pouvez essayer de tuer le Géant. En cas de victoire, rendez-vous alors au **366**.

62

Vous vous ruez sur lui en brandissant votre épée. Il a les yeux exorbités sous l'effet de la surprise et il saute à bas de son champignon. Dans son élan, il a reculé de plusieurs mètres et il fait alors un geste dans votre direction. Aussitôt, ses deux Grenouilles bondissent sur vous. Si vous jugez bon de vous enfuir en revenant sur vos pas, rendez-vous au **323**. Si vous préférez combattre les Grenouilles, rendez-vous au **146**.

63

Vous fouillez dans votre Sac à Dos et vous lui offrez l'Aimant d'Or que vous avez pris sur le cadavre du guerrier. Il se met alors à rire. « Désolé, dit-il, mais je n'en veux pas. C'est un objet maudit. Vous feriez mieux de le jeter dans l'eau de cette mare. » Vous vous sentez soudain stupide et vous suivez son conseil. A présent que vous vous êtes débarrassé de l'aimant, vous pouvez essayer de lui offrir un autre objet en retournant au **15**. Si vous n'avez rien d'autre à lui proposer, rendez-vous au **212** pour tenter une autre tactique.

64

Vous utilisez une Pierre Magique de Feu en espérant qu'elle fera fuir les Loups et votre tentative réussit : le pelage de l'un des Loups s'enflamme en effet, et tous deux s'enfuient, saisis d'une véritable panique. Le Maître des Loups, cependant, ne se laisse pas impressionner. « Alors, comme ça, on s'amuse avec des petits tours de magie ? grogne-t-il. Eh bien, voyons ce que vous penserez de ceci. » Il brandit alors le poing vers vous et vous ressentez aussitôt une violente douleur au bras, comme si on venait de vous donner un rude coup. C'est avec ce bras que vous tenez habituellement votre épée et cette douleur soudaine vous fait perdre 3 points d'HABILETÉ et 1 point d'ENDURANCE. De toute évidence, il vaut mieux vous abstenir de vous mesurer au MAÎTRE DES LOUPS sur le terrain de la magie : vous seriez sûr d'être vaincu. Il ne vous reste donc plus qu'à tirer votre épée et à vous lancer à l'attaque.

MAÎTRE DES
LOUPS HABILETÉ : 11 ENDURANCE : 10

Si vous avez le dessous, vous pouvez prendre la *Fuite* en vous rendant au **314.** Si vous parvenez à tuer le Maître des Loups, rendez-vous au **154.**

65

Le sentier suit un tracé sinueux et vous prenez bien soin de ne pas vous en écarter. Vous contournez un grand champignon sur lequel grouillent de minuscules créatures puis vous vous approchez d'une autre clairière. *C'est la Clairière n° 10. Si vous y êtes déjà venu, rendez-vous au* **343.** *Sinon, lisez ce qui suit.* Vous entendez des voix à quelque distance. Jetant prudemment un coup d'œil dans la clairière tout en restant caché derrière un arbre, vous apercevez un groupe de cinq hommes. D'après la façon dont ils sont vêtus et la rudesse de leur langage, vous devinez qu'il doit s'agir de BRIGANDS. Votre Anneau de Cuivre reste froid, ce qui vous indique que ces hommes ne sont pas véritablement malfaisants. Il serait cependant stupide de prendre des risques inutiles. Qu'allez-vous faire ?

Revénir sur vos pas le long du chemin que vous avez emprunté pour arriver jusqu'ici ? Rendez-vous au **137**

Vous ruer sur eux en poussant des cris et en brandissant votre épée ? Rendez-vous au **231**

Faire usage de magie depuis votre cachette ? Rendez-vous au **387**

Vous avancez vers eux d'un pas confiant et les saluer ? Rendez-vous au **163**

66

Vous entrez dans une agréable clairière entourée de chênes noueux. *Vous êtes dans la Clairière nº 9. Si vous y êtes déjà venu, rendez-vous au* **192.** *Sinon, lisez ce qui suit.* Un petit homme à l'air joyeux est assis par terre, le dos appuyé contre le tronc d'un arbre. Il est en train de manger du fromage, un panier à pique-nique ouvert à côté de lui. Apparemment, il n'a pas d'armes, en dehors du couteau dont il se sert pour couper son fromage. Il remarque alors votre présence et vous salue : « Bonjour, l'aventurier, que diriez-vous de partager mon repas ? » Tandis qu'il prononce ces paroles, votre Anneau de Cuivre diffuse sa chaleur autour de votre doigt, vous avertissant ainsi qu'il ne faut pas vous fier à cet homme. Vous comprenez bientôt qu'il s'agit là d'un VOLEUR. Qu'allez-vous faire ?

L'attaquer ?	Rendez-vous au **267**
Ne pas lui prêter attention ?	Rendez-vous au **17**
Accepter son invitation et vous asseoir à côté de lui ?	Rendez-vous au **147**

66 *Le petit homme à l'air joyeux est en train de manger du fromage, un panier à pique-nique ouvert à côté de lui.*

67

Il s'agit sans aucun doute d'une Poudre de Guérison. Vous l'utilisez tout entière et vous sentez vos forces revenir. Vous récupérez ainsi 2 points d'ENDURANCE. Rendez-vous ensuite au **19**.

68

Si vous connaissez une formule secrète qui vous aurait été enseignée par le Maître des Loups, rendez-vous au **302.** Sinon, rendez-vous au **215**.

69

Vous avez tué l'Ours et vous fouillez le tronc creux qui lui sert de tanière, mais sans rien trouver d'intéressant. Rendez-vous au **390**.

70

Il vous faut réagir rapidement et décider ce que vous allez faire avec ces Scorpions. Vous avez le choix entre :

Leur marcher dessus et les frapper à l'aide de votre épée.	Rendez-vous au **216**
Utiliser une Pierre Magique de Feu.	Rendez-vous au **110**
Sauter d'un bond par-dessus eux pour courir vous mettre à l'abri.	Rendez-vous au **377**

71

Vous avez peur que cet oiseau ne donne l'alerte et vous le décapitez d'un coup d'épée. Le corps du Perroquet tombe à terre sans un bruit. Vous lui arrachez alors quelques-unes de ses plumes aux vives couleurs et vous poursuivez votre chemin en avançant avec prudence. Rendez-vous au **149**.

72

Le sol sur lequel vous marchez est marécageux, mais vous parvenez malgré tout à maintenir votre équilibre. Le Feu Follet continue de danser devant vous. Si vous souhaitez revenir sur vos pas, rendez-vous au **249.** Si vous préférez le suivre plus loin vers l'ouest, rendez-vous au **24.**

73

Tentez votre Chance. Si vous êtes Malchanceux, vous tombez et vous perdez 2 points d'ENDURANCE, mais vous parvenez malgré tout à grimper jusqu'au nid. Si vous êtes Chanceux, vous atteignez le nid sans difficulté. Vous découvrez alors une Chaîne d'Or accrochée à l'une des branches, vous pouvez la prendre si vous le souhaitez. Vous redescendez aussitôt après et vous poursuivez votre chemin. Rendez-vous au **202.**

74

Vous avez décidé de combattre le Maître des Araignées à l'aide d'une de vos Pierres de Magie. Mais laquelle choisir ?

Pierre d'Amitié ? Rendez-vous au **361**

de Malédiction ? Rendez-vous au **261**

de Feu ? Rendez-vous au **113**

Aucune de celles-ci ? Rendez-vous au **144**
et faites un nouveau choix

75

Lorsque vous lancez votre Pierre Magique de Feu, les Arbres-Épées se rétractent quelque peu, visiblement furieux, mais sans être gravement atteints. Vous allez à présent devoir les combattre en vous rendant au **28,** mais vous réduirez leur total d'ENDURANCE de 2 points avant le début de l'affrontement.

76

Vous savez parfaitement qu'un Patrouilleur est un combattant au service du Bien. Celui-ci est sans nul doute familier du Marais aux Scorpions et vous pouvez lui faire confiance. Vous lui racontez donc votre histoire. Il a entendu parler de Gayolard et se déclare prêt à vous aider. Il vous offre alors des Herbes de Guérison qui vous rendent un point d'HABILETÉ au cas où vous en auriez perdu. Si vous avez déjà trouvé le buisson d'Anthérique, rendez-vous au **166.** Sinon, rendez-vous au **333.**

77

Vous vous sentez tout ragaillardi. L'eau de ce bassin a des propriétés bénéfiques et vous récupérez 3 points d'ENDURANCE. Vous repartez ensuite en retournant vers l'ouest. Rendez-vous au **47**.

78

« La Lance Tordue » est une auberge agréable et spacieuse. Vous donnez 1 Pièce d'Or à l'aubergiste et vous montez dans votre chambre. Dès que vous posez la tête sur l'oreiller, vous vous endormez. Le lendemain matin, à votre réveil, vous vous sentez parfaitement reposé et vous regagnez 2 points d'ENDURANCE. Au moment où vous vous apprêtez à partir, l'aubergiste s'approche de vous. Il sait que vous avez traversé le Marais aux Scorpions et que vous allez retourner d'où vous venez par le même chemin. « Vous devez être un rude guerrier pour avoir réussi à survivre dans le Marais, dit-il, et peut-être que je me mêle de ce qui ne me regarde pas, mais je connais un sorcier dans la rue d'à côté qui vend des Pierres de Magie. Il se pourrait bien que vous en ayez besoin sur le chemin du retour. » Vous remerciez l'aubergiste pour cette information, vous lui demandez l'adresse du sorcier et vous quittez les lieux. Si vous souhaitez vous rendre chez ce sorcier, rendez-vous au **150.** Si vous préférez repartir en direction du sud, prêt à traverser le Marais une nouvelle fois, rendez-vous au **343.**

79

Après être tombés d'accord pour un duel au premier sang, le CHEF DES BRIGANDS et vous-même, vous vous mettez en garde. Les autres Brigands se rassemblent autour de vous, mais ils ne semblent pas animés d'intentions malveillantes : ils sont simplement intéressés par le combat.

CHEF DES BRIGANDS HABILETÉ : 9 ENDURANCE : 10

Vous ne combattrez que jusqu'au moment où l'un de vous deux aura blessé son adversaire. Si vous parvenez à toucher le Chef des Brigands, rendez-vous au **360.** Si c'est lui qui vous blesse, rendez-vous au **128.**

79 *Le Chef des Brigands et vous-même vous mettez en garde.*

80

Quelle Pierre de Magie allez-vous utiliser contre les Fleurs d'Angoisse ?

Une Pierre de Feu ? Rendez-vous au **307**

de Flétrissure ? Rendez-vous au **196**

Aucune de celles-ci ? Rendez-vous au **204** et faites un nouveau choix

81

Vous avez vaincu l'Herbe à Pinces. Vous êtes certain qu'elle est morte. Vous inspectez ensuite la clairière et vous trouvez, fixé à un arbre, un vieil écriteau qui porte cette inscription : ATTENTION AUX ORQUES. Il n'y a rien d'autre à découvrir, et vous quittez l'endroit en vous rendant au **187**.

82

La Pierre Précieuse semble avoir une grande valeur. Vous tirez donc votre épée et vous attaquez la Bête. Elle se défend en vous frappant à l'aide de ses tentacules caoutchouteux.

BÊTE DU BASSIN HABILETÉ : 8 ENDURANCE : 10

Si vous souhaitez prendre la *Fuite* au cours du combat, vous retournerez vers l'ouest en courant à toutes jambes jusqu'au **330.** Si vous parvenez à tuer la bête, rendez-vous au **308.**

83

Tentez votre Chance. Si vous êtes Chanceux, rendez-vous au **35.** Si vous êtes Malchanceux, rendez-vous au **357.**

84

Il ne fait aucun doute que le Maître des Jardins est un ami, et vous lui contez donc votre histoire en toute confiance. Il vous souhaite bonne chance mais ne peut guère vous aider. Il vous fait faire le tour de la clairière et vous constatez qu'un seul chemin y mène : celui que vous avez emprunté. Vous dites alors au revoir au Maître des Jardins et vous revenez sur vos pas en direction de l'ouest. Rendez-vous au **363.**

85

Vous prenez la *Fuite* et *il vous faut obligatoirement revenir sur vos pas en empruntant le chemin qui vous a mené jusqu'ici.* Rendez-vous au **153** où vous prendrez la direction *par laquelle vous êtes arrivé.*

86

Tentez votre Chance. Si vous êtes Chanceux, rendez-vous au **189.** Si vous êtes Malchanceux, vous ne trouvez rien et vous vous rendez au **348.**

87

Vous êtes pris dans les sables mouvants et vous vous enfoncez lentement. Votre seul espoir de vous dégager consiste à vous débarrasser de votre armure. Vous vous hâtez donc de vous en défaire et vous l'abandonnez. Vous parvenez alors à vous extraire des sables mouvants mais vous perdez 2 points d'HABILETÉ et il vous faut réduire de 2 points également votre total *initial* d'HABILETÉ. Vous ne pourrez donc plus, quoi qu'il arrive, retrouver tous vos points de départ : c'est le prix que vous coûte la perte de votre armure. Rendez-vous ensuite au **270.**

88

Vous quittez la clairière. Si vous voulez aller au nord, rendez-vous au **121.** Si vous préférez aller à l'est, rendez-vous au **331.**

89

Vous utilisez votre Pierre Magique pour former une couche de glace sur la rivière. Mais le cours d'eau est large et sa température élevée. Sous l'effet de la chaleur, votre pont se met à fondre dangereusement... Si vous voulez malgré tout vous risquer à le franchir, rendez-vous au **325.** Si vous préférez ne pas vous y fier, retournez au **295** pour faire un nouveau choix.

90

Vous avez traversé plusieurs cours d'eau faciles à·franchir, mais celui devant lequel vous vous trouvez à présent est beaucoup plus profond. *Vous êtes dans la Clairière n° 34*. Cette rivière est agitée de remous qui ne vous inspirent guère confiance : qui sait quelles créatures se cachent dans son lit ? Qu'allez-vous faire ?

Utiliser une Pierre Magique de Glace ?	Rendez-vous au **370**
Utiliser une Pierre Magique de Flétrissure ?	Rendez-vous au **254**
Traverser le cours d'eau à pied avec d'infinies précautions ?	Rendez-vous au **44**

91

Lancez deux dés. Si le total obtenu est inférieur ou égal à vos points d'ENDURANCE, vous parvenez à sauter de l'autre côté. Dans le cas contraire, votre bond est trop court, vous vous prenez le pied dans la vase et vous tombez en vous tordant le bras. Cette chute vous coûte 1 point d'HABILETÉ. Vous pouvez à présent quitter la clairière en choisissant une des directions suivantes :

L'ouest	Rendez-vous au **398**
L'est	Rendez-vous au **105**
Le sud	Rendez-vous au **208**

92

Le chemin qui vous mène vers le nord s'élève peu à peu. Autour de vous, le sol est plus sec à présent et la végétation des marais a fait place à une forêt profonde. Bientôt, les arbres deviennent moins denses et vous arrivez dans une vaste clairière parsemée de buissons. *C'est la Clairière n° 11. Si vous y êtes déjà venu, rendez-vous au* **108.** *Sinon, lisez ce qui suit*. Vous vous immobilisez et vous écoutez le moindre son alentour, mais vous n'entendez rien d'anormal. Vous avancez alors dans la clairière, en quête d'un autre chemin, lorsque vous vous rendez compte soudain que deux énormes Loups vous observent. Si vous possédez l'Amulette en forme de Loup, rendez-vous au **344.** Sinon, rendez-vous au **68**.

93

Vous lancez votre Malédiction au Maître des Loups qui aussitôt porte une main à sa gorge sous l'effet de la douleur. De son autre main, cependant, il tire son épée qu'il pointe sur vous. C'est votre tour à présent de ressentir les effets de votre Pierre de Magie. Jetez un dé : vous aurez perdu autant de points d'ENDURANCE que

92 *Vous vous rendez soudain compte que deux énormes loups vous observent.*

le chiffre obtenu. Si vous êtes toujours vivant, il vous faut combattre le Maître des Loups, mais vous pourrez déduire 2 points de son total d'HABILETÉ ainsi que de son total d'ENDURANCE. Rendez-vous au **120**.

94

Le sentier se met à descendre et des tourbillons de brume vous entourent. Une odeur fétide se dégage alentour et vous retenez votre souffle. Mais avant que vous ayez pu traverser ce brouillard, vous êtes contraint de respirer à nouveau et l'atmosphère viciée qui règne en ces lieux vous coûte 2 points d'ENDURANCE. Si vous allez vers le nord, rendez-vous au **295.** Si vous allez vers le sud, rendez-vous au **320.**

95

Les villageois hochent la tête d'un air navré tandis que vous vous dirigez vers la porte, mais ils ne font aucune autre tentative pour vous retenir. Avant que vous ayez atteint la porte, cependant, un homme vous barre soudain le passage. Il est petit, d'âge moyen, et porte une barbe noire taillée à angle droit. Tout d'abord vous pensez qu'il s'agit d'un fermier, mais un fermier ne vous prêterait certainement pas autant d'attention. L'homme vous prend par le bras et vous mène à une table, dans un coin de la taverne. Les autres clients ont repris leurs conversations habituelles, et vous avez envie de savoir ce que cet homme silencieux peut bien avoir à vous dire. Il se présente alors sous le nom de Grognard et vous tient ce langage : « Si vous voulez vraiment affronter les périls du

Marais, au moins devriez-vous avoir un autre but que le simple fait de dresser une carte et d'abattre des bêtes sauvages. » Si vous approuvez ce qu'il dit, rendez-vous au **240.** Sinon, rendez-vous au **122.**

96

Il vous est impossible de dissimuler quelque chose à cet homme si bon et vous lui racontez bientôt tout au sujet de votre Anneau de Cuivre et de ses pouvoirs. Rendez-vous au **371.**

97

« Parfait ! » réplique-t-il en souriant à son tour. Vous remarquez alors qu'il a les dents pointues. Soudain, il fait un signe de la main en direction du mur où se dresse la STATUE D'UN GOBELIN. Aussitôt, la statue se met à frémir et s'avance vers vous en brandissant une Épée de Pierre. Si vous souhaitez vous enfuir, rendez-vous au **315.** Si vous préférez combattre la Statue, rendez-vous au **284.**

98

Vous sentez qu'on vous assène un rude coup sur le crâne et vous vous écroulez aux pieds du sorcier en lâchant votre épée. Vous levez alors les yeux vers lui : il semble avoir grandi démesurément. Or, en fait, c'est vous qui avez rétréci ; vous avez désormais la taille d'un insecte. Vous fuyez à toutes jambes, mais vous en avez maintenant plusieurs et vous ne savez pas très bien vous en servir. Vous trébuchez à plusieurs reprises tandis que Stratagus éclate de rire sans chercher à vous retenir. Bientôt, vous grimpez le long d'un mur et vous vous cachez dans une fissure. Stratagus, pour sa part, est déjà retourné à ses affaires. Au bout d'un moment, vous commencez à avoir faim et vous tissez une toile en espérant qu'une mouche dodue viendra s'y empêtrer. Vous êtes en train d'oublier votre vie d'aventurier pour ne plus penser qu'à vos préoccupations actuelles : celles d'une araignée des champs. Votre aventure est terminée.

99

Vous donnez à Stratagus les Amulettes pour lesquelles vous avez affronté les périls du Marais aux Scorpions. Il vous les prend des mains en poussant de petits rires sardoniques puis il sort de la pièce et revient bientôt avec une bourse de petite taille mais qui semble peser bon poids. Il vous la lance d'un geste vif et vous entendez des pièces tinter à l'intérieur. « A présent, filez ! dit-il, et ne revenez jamais, j'en ai fini avec vous. » Rendez-vous au **242.**

100

Épuisé et meurtri, vous quittez la maison de Pompatarte et vous vous dirigez vers l'auberge. Vous avez échoué dans votre mission mais, au moins, vous êtes en vie. Peut-être recommencerez-vous un autre jour ? Pour l'instant, en tout cas, votre aventure est terminée.

101

Le pont est vieux mais en bon état. Si vous souhaitez vous diriger vers le nord, rendez-vous au **350.** Si vous préférez aller au sud, rendez-vous au **118.**

102

Bien que vous ayez une longueur d'avance, la Bête Immonde ne tarde pas à gagner du terrain. Vous vous épuisez à courir et vous perdez 1 point d'ENDURANCE. Retournez à présent au **11** et choisissez une autre tactique.

103

Vous expliquez au Géant le but de votre mission. Il hoche la tête et vous donne quelques renseignements : « Ici, nous sommes à proximité de la lisière nord du Marais, dit-il, et la ville de Courbensaule se trouve très loin à l'ouest. Vous devriez donc prendre la direction de l'ouest. » Vous le remerciez et vous repartez. Rendez-vous au **161.**

104

Le Maître des Grenouilles saute de son champignon, s'approche de la mare et recueille de l'eau dans sa main en parvenant à la conserver au creux de sa paume sans qu'elle lui file entre les doigts. L'étrange personnage semble alors façonner l'eau qu'il retient ainsi et la transforme bientôt en une boule de cristal. Il plonge ensuite son regard dans la sphère et murmure quelques mots pour lui-même. Enfin, il jette la boule de cristal dans la mare et se tourne vers vous : « La plante que vous cherchez se trouve au nord, dit-il. Mais le chemin qui y mène est tortueux et semé de périls. Méfiez-vous de mes confrères les autres Maîtres car ils ne sont pas tous bienveillants. Et soyez gentil avec le Géant si vous le rencontrez. » Ayant ainsi parlé, il fait un bond et disparaît parmi les arbres. La clairière est vide à présent. Rendez-vous au **352.**

105

Il y a une clairière à quelque distance devant vous. Cette fois, le sol en est ferme et vous pouvez y pénétrer d'un pas assuré. *C'est la Clairière nº 12. Si vous y êtes déjà venu, rendez-vous au* **330.** *Sinon, lisez ce qui suit.* Vous remarquez plusieurs pierres plates de grande taille, un gros tronc creux et deux chemins qui permettent d'aller plus loin. Qu'allez-vous faire ?

Vous asseoir sur l'une des pierres pour vous reposer ?	Rendez-vous au **21**
Inspecter le tronc creux ?	Rendez-vous au **55**
Quitter la clairière à l'instant même ?	Rendez-vous au **390**

106

Une cordelette s'enroule autour de votre cou : le Voleur vous a trompé ! Fort heureusement, vous êtes beaucoup plus fort que lui et vous l'obligez à lâcher prise puis vous le faites basculer par-dessus votre épaule. Vous êtes à nouveau libre à présent, mais vous avez perdu 2 points d'ENDURANCE au cours de la bagarre. Le Voleur vient de dégainer un poignard. Si vous voulez attaquer ce traître, rendez-vous au **267.** Si vous préférez filer loin de cette clairière, rendez-vous au **179.**

105 *Vous remarquez plusieurs pierres plates de grande taille, un gros tronc d'arbre creux…*

107

Vous lancez votre malédiction au Brigand qui se trouve le plus près de vous. Il pousse aussitôt un hurlement et s'écroule sur le sol. Ses compagnons se précipitent alors à son secours puis se mettent à hurler à leur tour et s'enfuient de la clairière par le chemin orienté au nord. Le Brigand tombé à terre est mort, il a les traits convulsés et semble avoir été emporté par un mal effroyable. Or, un instant plus tard, c'est à votre tour de ressentir les effets de la malédiction. Lancez un dé : vous perdrez autant de points d'ENDURANCE que le chiffre obtenu. Si vous êtes toujours vivant, vous pouvez poursuivre votre route en vous rendant au **19.**

108

Vous entrez à nouveau dans la clairière où vous avez rencontré les Loups. Tout est calme et vous ne remarquez rien d'anormal. Le buisson se trouve toujours au centre de la clairière, mais, cette fois, il ne porte pas la moindre baie. Il n'y a rien d'intéressant à découvrir dans cet endroit et vous repartez en revenant vers le sud, en direction de la clairière du Géant. Rendez-vous au **342.**

109

Il peste et ronchonne, mais il vous a vu combattre et il n'est pas encore suffisamment furieux pour vous attaquer. Qu'allez-vous faire ?

Quitter les lieux ? Rendez-vous au **349**

L'attaquer ? Rendez-vous au **124**

Recourir à la magie ? Rendez-vous au **256**

110

La seule Pierre de Magie qui puisse vous aider à vous débarrasser de cette multitude grouillante est une Pierre de Feu. Vous en lancez une et un anneau de flammes jaillit aussitôt de l'herbe, tout autour de vous. Le feu se propage quelques instants puis s'éteint, mais les Scorpions ont déjà abandonné le terrain. Vous vous éloignez alors de cette clairière avant qu'ils reviennent vous attaquer. Rendez-vous au **319.**

111

Vous ne voulez pas attaquer la Maîtresse des Oiseaux, mais vous êtes bien décidé cependant à obtenir ce que vous voulez. Vous lui lancez donc une Pierre Magique d'Amitié et elle se met aussitôt à rire. « Stupide aventurier ! s'écrie-t-elle. Vous ne savez donc pas qu'une bonne sorcière est l'amie de tous ? Vous avez sottement gâché votre Pierre. » Rendez-vous au **184.**

112

Ce grand nid vous intrigue. Si vous souhaitez grimper là-haut pour l'examiner, rendez-vous au **73.** Si vous préférez repartir, rendez-vous au **202.**

113

L'idée vous vient que les toiles d'araignées sont hautement inflammables. Vous jetez donc votre Pierre de Feu sur le Maître des Araignées et ses vêtements en effet s'enflamment aussitôt. Avec des cris d'horreur, il s'écroule sur le sol et le feu se diffuse dans toute la clairière. De véritables rideaux de flammes s'élèvent en réduisant en cendres la répugnante créature qui se cachait ici. La chaleur est si intense que vous renoncez à examiner les lieux dans l'espoir de récupérer quelque objet utile. Vous ne pensez qu'à fuir ce brasier, mais vous ne pouvez cependant éviter d'être atteint de brûlures qui vous coûtent 3 points d'ENDURANCE. Vous vous échapperez de cette clairière en vous rendant au **165.**

114

Vous jetez votre Pierre Magique de Croissance sur les arbres en espérant les faire grandir si bien qu'ils ne pourront même plus vous atteindre. Hélas ! vous vous apercevez bientôt que vous avez commis une erreur car de nouvelles branches poussent sur leurs troncs et vous attaquent de plus belle. Rendez-vous au **28** pour les combattre, mais vous devrez *doubler* le total d'ENDURANCE des Arbres-Épées.

115

Le Patrouilleur éclate de rire. Il apprécie votre franchise. « Il vous faut donc trouver Courbensaule, dit-il, et, dans ce cas, vous devez aller vers le sud puis vers l'ouest, à la croisée des chemins. De là, vous suivrez le sentier jusqu'au bout et vous arriverez alors à la ville. Mais, attention, ne vous écartez pas du sentier ! » Vous le remerciez et vous poursuivez votre route en vous rendant au **234.**

116

Vous faites de votre mieux pour essayer de ne pas entendre le vacarme qui monte du rez-de-chaussée, mais les réjouissances deviennent de plus en plus bruyantes et vous ne parvenez à trouver le sommeil que bien après minuit. Vous êtes cependant réveillé de bonne heure par l'agitation qui règne sur la place du marché, juste sous vos fenêtres. Furieux, vous ramassez alors vos affaires et vous quittez la ville en prenant la direction du sud, vers le Marais. Rendez-vous au **343.**

117

Vous lui jetez la Pierre Magique d'Amitié que vous avez trouvée dans la clairière de la Licorne. Aussitôt, le Maître des Jardins arbore un large sourire. « Que puis-je faire pour vous, cher ami ? » interroge-t-il. Vous lui demandez de vous donner son Amulette à Fleur. Il la détache de son cou et la passe autour du vôtre. Mais dès que l'objet vous touche, vous êtes paralysé ! Le Maître des Jardins vous regarde alors droit dans les yeux et vous ordonne de lui dire la vérité. Vous ne pouvez vous empêcher d'obéir. « Vous n'êtes pas un mauvais bougre, dit-il lorsque vous avez terminé. Mais vous servez un Maître bien méprisable. Et le meilleur conseil que je puisse vous donner, c'est de vous tenir sur vos gardes. » Puis il reprend son Amulette et s'en va. Peu à peu, vous retrouvez la mobilité de votre corps et vous repartez également en prenant la direction de l'ouest. Rendez-vous au **363.**

118

A quelque distance devant vous, deux autres sentiers rejoignent celui que vous suivez. Le croisement se fait dans une petite clairière. *C'est la Clairière n° 13. Si vous y êtes déjà venu, rendez-vous au* **303.** *Sinon, lisez ce qui suit.* Votre Anneau de Cuivre vous picote la peau autour du doigt et, en regardant à terre, vous voyez courir vers vous des dizaines de petits Scorpions. *Tentez votre Chance*. Si vous êtes Chanceux, rendez-vous au **70.** Si vous êtes Malchanceux, rendez-vous au **182.**

119

Quelle Pierre de Magie allez-vous utiliser pour neutraliser la Licorne ?

Une Pierre d'Amitié ?	Rendez-vous au **39**
de Terreur ?	Rendez-vous au **293**
de Bénédiction ?	Rendez-vous au **381**
de Feu ?	Rendez-vous au **337**
Aucune de celles-ci ?	Rendez-vous au **320** pour faire un nouveau choix

118 *En regardant à terre, vous voyez courir vers vous des dizaines de petits Scorpions.*

120

Le Maître des Loups fait un geste et ses deux LOUPS bondissent alors sur vous. Il vous faut les combattre tour à tour et si vous parvenez à les tuer tous deux, vous devrez alors affronter le Maître lui-même.

	HABILETÉ	ENDURANCE
Premier LOUP	7	5
Deuxième LOUP	6	6
MAÎTRE DES LOUPS	11	10

Si vous sentez que vous avez le dessous, vous pouvez prendre la *Fuite*. Rendez-vous dans ce cas au **314.** Si vous parvenez à tuer vos trois adversaires, rendez-vous au **154.**

121

Vous vous trouvez à un croisement. Dans quelle direction souhaitez-vous aller ?

Au nord ? Rendez-vous au **170**

Au sud ? Rendez-vous au **14**

A l'est ? Rendez-vous au **275**

A l'ouest ? Rendez-vous au **218**

122

L'homme essaye alors de vous convaincre. « Sachez tout d'abord qu'il est infiniment plus intéressant d'avoir une mission à remplir et qu'ensuite la magie a une grande importance dans le Marais aux Scorpions. Vous êtes sans nul doute un vaillant guerrier et peut-être même disposez-vous de quelques recettes de magie, mais sans l'aide d'un sorcier professionnel et chevronné, il y a peu de chance pour que vous revoyiez jamais le soleil après avoir mis les pieds là-bas. » A l'évidence, il vous parle en toute sincérité et vous pourrez en entendre davantage en vous rendant au **240.** Si, en revanche, vous préférez quitter les lieux et commencer votre exploration du Marais en ne vous fiant qu'à vous-même, rendez-vous au **296.**

123

Le sorcier ouvre tout grands les yeux et fait un bond en arrière. Dans son élan, il perd son chapeau et renverse un vase qui se fracasse sur le sol. Une vapeur pestilentielle se dégage alors des débris épars sur le sol et la statue animée s'immobilise aussitôt. Non seulement vous avez brisé la concentration du sorcier, mais vous avez en plus neutralisé le sort qu'il avait jeté. Si vous souhaitez poursuivre votre attaque, rendez-vous au **225.** Si vous préférez profiter de son moment d'hésitation pour vous enfuir, rendez-vous au **315.**

124

Le sorcier maléfique est tout aussi en colère que vous. Il tire alors de sa toge une baguette magique qui se met à briller et se transforme en une lame dentelée tandis qu'il se met en garde. Son arme étincelle et il ne fait aucun doute qu'elle est dotée de pouvoirs surnaturels. D'une manière ou d'une autre, ce combat sera le dernier que vous aurez à livrer au cours de votre aventure.

STRATAGUS HABILETÉ : 13 ENDURANCE : 18

C'est un combat à mort et il n'est pas question d'essayer de prendre la fuite. Si vous parvenez à tuer Stratagus, rendez-vous au **340.**

125

Vous avez tué la Bête Immonde et vous coupez quelques-unes de ses griffes, dures comme de la pierre, pour les garder en souvenir de ce rude combat. Vous essayez ensuite de trouver d'autres chemins qui pourraient vous permettre de quitter la clairière, mais il n'en existe aucun et vous êtes donc obligé de revenir sur vos pas le long du sentier par lequel vous êtes arrivé. Vous repartez donc vers l'est. Rendez-vous au **279.**

126

Vous jetez votre Pierre au Géant tandis qu'il se tient devant vous. Du givre se forme aussitôt sur sa barbe et ses sourcils et il se met à frissonner. « Il commence à faire froid dans le coin », marmonne-t-il pour lui-même. C'est le seul effet que vous obteniez. Retournez donc au **145** pour y faire un autre choix.

127

Il n'a pas l'air méchant, simplement timide, et vous décidez d'utiliser une Pierre Magique d'Amitié pour l'amadouer. Aussitôt, son visage s'illumine. « Je ne reçois pas beaucoup de visites par ici, dit-il, si vous avez besoin de savoir quelque chose, je serais ravi de vous renseigner. Je suis un puissant sorcier, savez-vous ? Mais asseyez-vous donc et bavardons. » Pendant quelques instants, vous faites la conversation au Maître des Grenouilles puis vous lui parlez à nouveau de la plante que vous cherchez. Rendez-vous au **104.**

128

Vous êtes habile au combat, mais le Chef des Brigands est également un fin bretteur et, bientôt, la lame de son épée vient vous frotter les côtes. Vous avez perdu. Votre adversaire, beau joueur, vous félicite alors de vous être si bien battu et déploie à terre sa propre cape pour que vous puissiez vous asseoir et vous reposer. « Et maintenant, dit-il, venons-en à notre petit marché. Qu'ai-je donc gagné ? » Il ne vous reste plus qu'à lui donner une Pierre de Magie, un bijou ou tout autre objet en votre possession. Si vous ne disposez de rien d'autre que l'Anneau de Cuivre, rendez-vous au **180.** Sinon, donnez-lui un objet de votre choix en n'oubliant pas de le rayer de votre *Feuille d'Aventure*. Vous quitterez ensuite les Brigands en ami et vous poursuivrez votre chemin en vous rendant au **19.**

129

Si vous avez tué l'Ours, rendez-vous au **268.** Si vous avez pris la *Fuite,* rendez-vous au **181.**

130

Quelle Pierre de Magie allez-vous essayer ?

Une Pierre de Malédiction ? Rendez-vous au **260**

d'Amitié ? Rendez-vous au **111**

de Terreur ? Rendez-vous au **201**

Aucune de celles-ci ? Rendez-vous au **288** et faites un nouveau choix

131

Le Perroquet vous fixe d'un œil en bouton de bottine. « Approchez-vous, dit-il, elle sait que vous venez. » Vous franchissez alors un écran de palmiers et vous vous retrouvez dans une magnifique clairière. Des milliers d'oiseaux de toutes les couleurs volent alentour ou sont perchés dans les arbres. Des Aigles et des Hérons se promènent çà et là. Une femme d'une grande beauté se tient assise sur un piédestal posé au centre de la clairière, et vous devinez aussitôt qu'il s'agit de la Maîtresse des Oiseaux. Elle vous salue en vous appelant par votre nom et vous demande ce que vous venez faire par ici. Votre réponse dépendra, bien entendu, de la mission qui vous a été confiée. Quel sorcier servez-vous ?

Pompatarte ? Rendez-vous au **23**

Gayolard ? Rendez-vous au **164**

Stratagus ? Rendez-vous au **288**

131 *La Maîtresse des Oiseaux se tient assise sur un piédestal posé au centre de la clairière.*

132

Vous avez tué l'Aigle et si vous souhaitez maintenant aller examiner son nid, rendez-vous au **73.** Si vous préférez repartir, rendez-vous au **202.**

133

Il n'y a plus trace du Patrouilleur, à présent. Il s'est fondu parmi les arbres. Rendez-vous au **234.**

134

Vous frappez l'HERBE A PINCES à grands coups d'épée et vous parvenez à la couper sans difficulté mais il en repousse toujours davantage autour de vous. Il vous faut combattre cette furieuse végétation comme s'il s'agissait d'un seul adversaire.

HERBE A PINCES	HABILETÉ : 6	ENDURANCE : 16

Si vous choisissez de prendre la *Fuite,* rendez-vous au **187.** Si vous parvenez à vaincre l'Herbe, rendez-vous au **81.**

135

Vous fouillez les cadavres des Orques des Marais. Leurs armes sont de qualité médiocre et la nourriture qu'ils transportaient trop répugnante pour qu'on puisse y toucher. L'un des monstres disposait cependant de quelques Pièces d'Or que vous pouvez ajouter à votre pécule. Jetez un dé pour savoir combien de pièces vous venez de trouver. L'autre Orque, quant à lui, possédait une carte grossièrement tracée. En la comparant avec celle que vous avez vous-même dressée, vous localisez l'endroit où vous êtes, mais vous ne découvrez rien que vous ne sachiez déjà. Un seul élément vous semble intéressant : c'est le dessin d'une grenouille qui porte une couronne sur la tête. La grenouille se trouve au sud de la carte. Rendez-vous au **309.**

136

Vous jetez une Pierre Magique de Feu au Maître des Jardins, mais celui-ci, d'un geste de la main, détourne la flamme. Vous décidez alors de l'attaquer. Rendez-vous au **379.**

137

Vous êtes revenu à l'endroit où vous aviez rencontré la Vase. Si vous l'avez tuée, rendez-vous au **153.** Sinon, elle vous barre le passage comme la première fois, et toutes les blessures que vous auriez pu lui infliger précédemment ont guéri entre-temps. Retournez au **336** pour examiner la meilleure façon de vous tirer d'affaire.

138

A quelque distance, les arbres se raréfient et vous pénétrez dans une clairière. *C'est la Clairière n° 35.* Orientée d'est en ouest coule la rivière Croupie. Un pont l'enjambe qui semble désert. Si vous souhaitez franchir ce pont, rendez-vous au **101.** Si vous préférez ne pas vous y fier et le contourner, rendez-vous au **45.**

139

Non, décidément, cet endroit n'est pas fait pour vous et vous vous hâtez de revenir vers le village. Tandis que vous vous éloignez de la tour, votre Anneau refroidit et retrouve bientôt sa température normale. Si vous souhaitez à présent aller voir le bon sorcier Gayolard, rendez-vous au **335.** Si vous préférez rendre visite au mystérieux Pompatarte, rendez-vous au **27.**

140

Votre lame s'enfonce profondément dans sa poitrine. Il vous regarde alors d'un air incrédule et ouvre la bouche pour essayer de parler, mais il meurt avant d'avoir pu émettre le moindre son. La lame dentelée glisse de ses doigts et vous la ramassez, intrigué par sa forme inhabituelle. Vous vous rendez compte aussitôt qu'il s'agit là d'une Épée Magique qui donne 2 points d'HABILETÉ supplémentaire à celui qui s'en sert au combat. Il n'est guère étonnant dans ces conditions que Stratagus se soit montré un si bon bretteur. Vous inspectez ensuite la tour du sorcier maléfique en espérant y découvrir quelque trésor caché, mais l'atmosphère devient lourde et oppressante. Votre anneau reste chaud, vous avertissant que vous n'êtes toujours pas à l'abri du danger, un danger peut-être même plus grand qu'auparavant. Puis, soudain, vous sentez une odeur de soufre. Qu'allez-vous faire ?

Rester ici pour voir ce que vous pourrez y découvrir ? Rendez-vous au **375**

Retourner au village et aller voir Gayolard, le bon sorcier ? Rendez-vous au **335**

Revenir au village pour essayer de trouver le mystérieux Pompatarte ? Rendez-vous au **27**

141

Cette offre vous semble raisonnable. Vous fouillez dans votre bourse et vous en retirez les Pierres Magiques dont vous ne vous êtes pas servi. Pompatarte sonne sa servante qui vous apporte une potion. Après avoir avalé le breuvage, vous vous sentez ragaillardi, et vos blessures sont guéries. Votre aventure est terminée, mais si vous avez échoué, vous avez également beaucoup appris et vous pourrez peut-être repartir à la découverte du Marais un autre jour.

142

Vous ne voyez plus traces de la bataille qui a eu lieu précédemment. Les cadavres des Orques ont disparu et tandis que vous vous hâtez de traverser la clairière, seul un Scorpion d'une trentaine de centimètres de long vous observe depuis une mare. Rendez-vous au **227.**

143

Dès que vous entrez dans la clairière, vous entendez l'effroyable grognement de la Bête Immonde. Elle n'a pas réussi à vous dévorer la première fois mais elle veut à tout prix faire une nouvelle tentative. Si vous souhaitez faire usage contre elle de vos Pierres Magiques, comme précédemment, rendez-vous au **374.** Si vous préférez cette fois la combattre, rendez-vous au **176.**

144

Vous remarquez que le sentier est envahi de toiles d'araignées. Un peu plus loin, vous apercevez une clairière. Avant même d'y être entré, vous distinguez dans le feuillage des arbres des milliers de toiles d'araignées accrochées de branche en branche comme des guirlandes. Les araignées elles-mêmes abondent alentour. *Vous êtes dans la Clairière n° 17. Si vous y êtes déjà venu, rendez-vous au* **345.** *Sinon, lisez ce qui suit.* Une tente somptueuse se dresse au milieu de la clairière. On dirait qu'elle flotte au-dessus du sol marécageux et ses teintes argentées chatoient comme la surface soyeuse d'une toile d'araignée. Un homme de haute taille est assis en son centre. Sa barbe épaisse et ses sourcils broussailleux sont d'un blanc de neige et la couleur argentée de sa toge se confond avec celle de la tente. Une Amulette d'Argent en forme d'araignée est accrochée à son cou et semble luire d'une mystérieuse clarté. Vous êtes en présence du MAÎTRE DES ARAIGNÉES et tandis qu'il

144 *Une Amulette d'argent en forme d'Araignée est accrochée à son cou... Vous êtes en présence du Maître des Araignées.*

pose sur vous ses yeux verts étincelants, l'Anneau de Cuivre se réchauffe autour de votre doigt, vous avertissant d'une présence maléfique. Qu'allez-vous faire ?

Recourir à la magie ? Rendez-vous au **74**

Attaquer sans attendre ? Rendez-vous au **26**

Parler à cet homme d'un ton aimable ? Rendez-vous au **332**

145

Il vous semble que le recours à la magie constitue le meilleur moyen d'échapper à la colère d'un Géant. Quelle Pierre Magique allez-vous utiliser ?

Une Pierre de Malédiction ? Rendez-vous au **252**

d'Amitié ? Rendez-vous au **328**

de Feu ? Rendez-vous au **211**

de Glace ? Rendez-vous au **126**

Aucune de celles-ci ? Rendez-vous au **275** et faites un nouveau choix

146

Les deux énormes GRENOUILLES vous attaquent en même temps, et, à votre grande surprise vous constatez que leurs mâchoires sont hérissées de petites dents pointues.

	HABILETÉ	ENDURANCE
Première GRENOUILLE GÉANTE	5	6
Deuxième GRENOUILLE GÉANTE	6	5

Chacune des deux Grenouilles vous combattra séparément à chaque Assaut, mais vous devrez d'abord choisir, lors de chacun de ces Assauts, laquelle vous souhaitez affronter en priorité. Vous combattrez l'adversaire ainsi choisi selon les règles habituelles. Mais avec l'autre, les règles changent : en effet, lorsque vous calculerez vos Forces d'Attaque respectives, vous ne lui aurez infligé aucune blessure si votre Force d'Attaque est supérieure à la sienne ; vous aurez simplement esquivé le coup qu'il vous aura porté. En revanche, si c'est sa propre Force d'Attaque qui dépasse la vôtre, vous aurez vous-même reçu une blessure à la manière habituelle. Si vous parvenez à tuer l'une des deux Grenouilles, le combat se poursuivra avec l'autre selon les règles normales. Si vous êtes vainqueur, rendez-vous au **230.**

147

Vous vous asseyez en face de lui. « Que faites-vous dans la vie ? » lui demandez-vous. « Je détrousse les voyageurs, répond-il. Lorsque quelqu'un entre dans la clairière par ce sentier là-bas, mes filets tombent sur lui et l'emprisonnent ; je n'ai plus alors qu'à lui vider les poches. » Il pointe le doigt vers le feuillage des arbres et votre regard suit la direction qu'il indique. *Tentez votre Chance*. Si vous êtes Chanceux, rendez-vous au **213.** Si vous êtes Malchanceux, rendez-vous au **106.**

148

Vous vous demandez quelle genre d'illusion pourrait bien tromper les Brigands. Ils ont l'air dépenaillés et affamés : sans doute seraient-ils ravis de faire un bon repas ? Vous esquissez alors un sourire : vous venez en effet d'avoir une bonne idée. Vous créez l'illusion d'un gras cochon qui traverse la clairière puis court le long d'un des chemins qui y mènent. Dans leur hâte de capturer ce gibier inespéré, les Brigands tombent les uns sur les autres puis se lancent à la poursuite du cochon en passant devant votre cachette sans vous remarquer. Vous vous hâtez alors de franchir la clairière. Rendez-vous au **19.**

149

La clairière est envahie d'oiseaux aux vives couleurs, mais il n'y a pas trace d'une présence humaine. La Maîtresse des Oiseaux a dû s'absenter. Vous inspectez la clairière mais vous n'y trouvez rien d'autre que des plumes. Rendez-vous au **217.**

150

La rue qui mène à la sortie de la ville est bordée de petites boutiques et l'une des enseignes attire immédiatement votre regard. On peut y lire : ALPHONSE MÂCHEFER, MARCHAND DE POTIONS ET NÉGOCIANT EN MAGIE. Vous entrez aussitôt dans la boutique. Alphonse Mâchefer est un jeune homme de bonne compagnie à la barbe envahissante et au nez proéminent. C'est un sorcier neutre et il ne peut donc vous vendre que des Pierres de Magie également neutres. Vous n'avez pas suffisamment de Pièces d'Or pour lui acheter sa marchandise car il pratique des prix prohibitifs, mais certains des objets que vous avez ramassés au cours de votre traversée du Marais aux Scorpions peuvent l'intéresser. Vous disposez donc sur la table tous les objets que vous possédez éventuellement dans la liste suivante : un Bijou Violet, une Chaîne d'Or, n'importe quelle Amulette en argent ayant appartenu à l'un des Maîtres, un Aimant d'Or, une Corne de Licorne. Chacun de ces objets peut être échangé contre une Pierre de Magie neutre, à votre choix, mais vous n'avez pas le droit d'acheter plus de 3 Pierres. Lorsque vous aurez choisi la ou les pierres que vous désirez, vous les inscrirez sur votre *Feuille d'Aventure* après avoir rayé les objets que vous avez abandonnés en contrepartie. Vous quittez ensuite la boutique d'Alphonse Mâchefer et vous repartez en direction du sud, vers le Marais aux Scorpions. Rendez-vous au **343**.

151

Vous faites un bond de côté. L'une des flèches vous manque, mais l'autre vous entaille le bras et vous perdez 1 point d'HABILETÉ. Qu'allez-vous faire à présent ?

Attaquer avec votre épée ?	Rendez-vous au **281**
Recourir à la magie ?	Rendez-vous au **399**
Vous enfuir à toutes jambes ?	Rendez-vous au **309**

152

Quelle Pierre Magique allez-vous utiliser face au Maître des Jardins ?

Une Pierre de Feu ?	Rendez-vous au **136**
de Flétrissure ?	Rendez-vous au **264**
d'Illusion ?	Rendez-vous au **347**
d'Amitié ?	Rendez-vous au **117**
Aucune de celles-ci ?	Rendez-vous au **334** pour faire un nouveau choix

153

Vous quittez la clairière aussi vite que possible. Si vous allez au nord, rendez-vous au **218.** Si vous allez à l'ouest, rendez-vous au **65.**

154

L'Amulette en forme de Loup est la seule chose intéressante que possède le Maître des Loups. Vous la prenez donc et vous vous rendez au **46.**

155

Vous semblez sincère. Grognard hoche alors la tête en arborant un large sourire. « Il y a des êtres qui paraissent rudes et simples, dit-il, mais qui combattent toujours pour la cause du bien. Le bon Gayolard est l'un d'eux et vous, le paladin, vous êtes de la même race, quoique vous ayez encore beaucoup à apprendre. » D'une certaine manière, Grognard a l'air beaucoup plus grand à présent. Est-ce une croix que vous voyez brodée sur ses vêtements ? Et cette épée apparue soudain à son côté, d'où vient-elle ? Vous vous apprêtez à lui demander qui il est, mais il tend alors la main vers vous et vous touche le front. Vous vous sentez aussitôt pris de vertiges. « Sois béni, jeune paladin, et cherche Gayolard. » Un instant plus tard, il a disparu, et vous êtes bien incapable de dire s'il est parti par la porte ou s'il s'est tout simplement volatilisé... Votre vertige passe très vite et vous vous sentez le mieux du monde. Ajoutez 2 points à votre total *initial* de CHANCE et rendez-vous ensuite au **335.**

156

Vous êtes à bout de souffle, mais vivant, et votre adversaire n'est plus qu'un tas de graviers répandus sur le sol. Vous éclatez alors d'un grand rire en lançant un regard narquois à Stratagus puis vous jetez par-dessus votre épaule le pied de la table, qui vient atterrir sur les débris d'un élément de bibliothèque renversé au cours du combat. Stratagus, pour sa part, contemple le désordre qui règne à présent dans la pièce. Si vous n'avez reçu aucune blessure pendant le combat, rendez-vous au **241.** Si vous avez été blessé, mais sans perdre plus de 5 points d'ENDURANCE, rendez-vous au **193.** Si vous avez perdu 6 points ou plus d'ENDURANCE, rendez-vous au **326.**

157

Le chemin se rétrécit d'une manière inquiétante et vous vous demandez si vous n'allez pas aboutir à un cul-de-sac. Quelques mètres plus loin cependant il s'élargit à nouveau, et vous arrivez dans une toute petite clairière. *C'est la Clairière n° 18. Si vous y êtes déjà venu, rendez-vous au* **279.** *Sinon, lisez ce qui suit.* L'endroit est entouré d'arbres aux formes insolites. Ils sont petits, de couleur vert foncé et dotés de branches qui ressemblent à des bras. Or, soudain, vous vous apercevez que chacun de ces bras tient une épée à son extrémité et que ces petits arbres ont la faculté de se mouvoir. Vous êtes attaqué par des ARBRES-ÉPÉES ! Ils vous entourent à présent et si vous souhaitez les combattre avec votre propre épée, vous devrez vous rendre au **28.** Si vous préférez recourir à la magie pour vous défendre, rendez-vous au **203.**

158

Vous souriez largement et vous tirez de votre poche un morceau de parchemin tout chiffonné. C'est la carte que vous avez fidèlement tracée au cours de votre traversée du Marais. Tous les chemins que vous avez parcourus et les clairières où vous avez livré de rudes combats sont indiqués minutieusement. Vous avez également répertorié tous les périls que le voyageur doit s'attendre à affronter ici ou là et Pompa-

157 *Vous vous apercevez que chacun des bras tient une épée à son extrémité et que ces petits arbres ont la faculté de se mouvoir.*

tarte semble enchanté des explications que vous lui donnez. Lorsque vous en avez terminé, il vous gratifie d'une grande claque dans le dos et, bien que vous soyez fort robuste, vous chancelez sous le coup. « Merveilleux ! s'écrie-t-il. Absolument parfait ! » Il ouvre alors un tiroir et en sort une énorme émeraude qu'il vous offre. « Tenez, considérez donc ceci comme une prime, dit-il en riant. Ma première caravane partira demain et vous serez mon hôte ici même aussi longtemps que vous le souhaiterez. Bien entendu, la moitié des économies que j'aurai réalisées pendant un an sera à vous, comme je vous l'avais promis. » Vous le remerciez en souriant. Vous êtes satisfait de constater que le mystérieux Pompatarte est un homme de parole. Peut-être un jour aurez-vous l'occasion de le mieux connaître ? Mais pour l'instant votre mission a été couronnée de succès et votre aventure s'achève.

159

Vous avez le sentiment d'avoir fait ce que vous pouviez. A présent, il vous faut retourner chez votre patron pour lui rendre compte de votre succès ou de votre échec. Qui avez-vous choisi de servir ?

Gayolard ? Rendez-vous au **6**

Stratagus ? Rendez-vous au **226**

Pompatarte ? Rendez-vous au **56**

160

Il vous vient à l'idée que cette créature pourrait faire un bon allié et vous lui lancez donc une Pierre Magique d'Amitié. Malheureusement, la Bête Immonde n'a pas d'amis ! Elle continue donc d'avancer sur vous et il vous faut la combattre. Rendez-vous au **176.**

161

Vous quittez la clairière du Géant et vous poursuivez votre chemin. Dans quelle direction souhaitez-vous aller ?

Au nord ?	Rendez-vous au **92**
Au sud ?	Rendez-vous au **41**
A l'ouest ?	Rendez-vous au **121**

162

Il croit votre histoire et se met à bavarder avec vous. Il vous apprend notamment que les Maîtres constituent un groupe de puissants sorciers dont certains sont au service du Bien, d'autres au service du Mal et d'autres encore tout à fait neutres. Leurs destins sont liés par les Amulettes qu'ils portent au cou : ils peuvent se combattre les uns les autres, mais un Maître ne peut pas en tuer un autre tant que celui-ci (ou celle-ci) porte son Amulette. Il vous explique également que ces Amulettes sont dotées de grands pouvoirs mais seulement lorsque ce sont des sorciers qui les possèdent. Tout cela vous semble fort intéressant et vous le remerciez de vous avoir accordé un peu de son temps. Vous repartez alors d'un pas décidé mais vous vous arrêtez juste à l'entrée du chemin. Là, il ne peut plus vous voir et vous vous demandez ce que vous allez faire :

Repartir pour de bon ? Rendez-vous au **352**

Vous servir d'une Pierre Magique d'Illusion pour tenter de lui voler son Amulette ? Rendez-vous au **245**

L'attaquer avec votre épée ? Rendez-vous au **62**

163

Vous marchez d'un bon pas le long du sentier et vous entrez dans la clairière. Ils sont surpris de vous voir et leur surprise s'accroît lorsque vous les saluez d'un air dégagé tout en poursuivant votre chemin. « Hé là ! où allez-vous donc ainsi ? » demandent-ils. « Au nord », répliquez-vous aussitôt. Votre sang-froid les impressionne. Ces Brigands ont pour habitude de demander un droit de passage aux voyageurs, mais ce ne sont pas des assassins. Ils pourraient vous attaquer en étant quasiment sûrs, à cinq contre un, de remporter la victoire, mais ce ne serait pas très loyal à leurs yeux et finalement leur chef vous fait une proposition : vous vous battrez tous deux en duel et le premier qui touchera l'autre sera déclaré vainqueur. Si le Chef des Brigands parvient à vous blesser, vous devrez lui donner un objet de valeur. Si c'est vous qui le blessez, ses hommes et lui vous laisseront partir sans rien demander en échange. Si cette proposition vous convient, rendez-vous au

79. Si vous n'êtes pas d'accord, rendez-vous au **353.**

164

L'Anneau de Cuivre reste froid : la Maîtresse des Oiseaux est donc une bonne sorcière. Vous lui expliquez alors le but de votre mission et vous lui demandez de vous aider. Elle applaudit et saute de joie en ayant l'air, pendant quelques instants, d'une petite fille surexcitée par l'annonce d'une bonne nouvelle. « Il y a donc encore un buisson d'Anthérique ? » Elle est absolument enchantée car elle sait que votre mission, si elle réussit, apportera une aide considérable à la cause du Bien. Elle vous donne aussitôt une potion magique qui a le pouvoir de ramener à leur total *initial* vos points d'HABILETÉ ou d'ENDURANCE ou encore de CHANCE (choisissez vous-même le total que vous souhaitez voir revenir à son niveau de départ). Elle vous fait signe ensuite de garder le silence puis elle tend les mains et plusieurs oiseaux se mettent à voler vers elle. Elle leur parle pendant quelques instants et se tourne vers vous : « Gayolard avait raison, dit-elle, il existe bien un buisson d'Anthérique qui se trouve au nord-est. Si vous voulez, je peux vous aider à vous rendre là-bas. » Vous acceptez avec reconnaissance et vous vous rendez au **248.**

165

Deux chemins seulement permettent de quitter cette clairière. Si vous souhaitez aller au nord, rendez-vous au **388.** Si vous préférez aller au sud, rendez-vous au **105.**

166

Le Patrouilleur vous félicite pour votre courage. « Tout ce qu'il vous reste à faire, à présent, dit-il, c'est de sortir à nouveau du Marais aux Scorpions. Bonne chance ! Prenez la direction du sud, puis allez vers l'est, puis au sud encore lorsque vous serez arrivé au nid d'Aigle. Ensuite, vous prendrez vers l'ouest et enfin au sud. Vous vous trouverez alors à proximité de la lisière sud du Marais. » Vous le remerciez de son aide après avoir soigneusement noté le chemin qu'il vous a indiqué, puis vous repartez. Rendez-vous au **234**.

167

Il n'y a guère que deux Pierres de Magie qui puissent vous être utiles dans cette situation. Laquelle allez-vous choisir d'utiliser ?

Flétrissure ?	Rendez-vous au **322**
Feu ?	Rendez-vous au **310**
Aucune d'elles ?	Rendez-vous au **134**

168

C'est la clairière où vous avez rencontré la Bête du Bassin. Si vous l'avez tuée, vous n'avez plus rien à faire ici et vous vous rendrez alors au **330.** Si vous ne l'avez pas tuée, en revanche, elle vous attend avec un total d'ENDURANCE égal à celui dont elle disposait lorsque vous l'avez quittée. Rendez-vous dans ce cas au **209.**

169

Vous lancez votre Pierre d'Illusion en créant l'image d'un serpent venimeux que vous placez entre les Orques et vous. Hélas ! ils ne semblent pas impressionnés le moins du monde et continuent d'avancer vers vous. L'un des Orques se penche même en avant en se léchant les babines et essaye d'attraper le serpent : de toute évidence, ce n'était pas cette image-là qu'il fallait créer ! A présent, il ne vous reste plus qu'à combattre les Orques. Rendez-vous pour cela au **281.**

170

Le sentier ici est étroit et serpente entre de gros rochers. Un brouillard épais baigne les lieux et vous ne parvenez pas à voir très loin. Mais soudain, la brume se lève et vous vous retrouvez dans une autre clairière. *C'est la Clairière n*^{o} *19. Si vous y êtes déjà venu, rendez-vous au* **363.**

Sinon, lisez ce qui suit. Un homme assis au sommet d'un rocher vous salue. Il est grand, bronzé et entièrement vêtu de vert. Vous savez qu'il s'agit là d'un PATROUILLEUR. « Hé, l'aventurier ! lance-t-il d'un air de défi. Es-tu au service du Bien ou du Mal ? » Quel est le sorcier que vous avez choisi de servir ?

Stratagus ? Rendez-vous au **29**

Pompatarte ? Rendez-vous au **262**

Gayolard ? Rendez-vous au **76**

171

La Vase est d'une force peu commune mais quasiment dépourvue de cerveau.

VASE HABILETÉ : 5 ENDURANCE : 17

Vous pouvez prendre la *Fuite* à tout moment en vous rendant au **153.** *Mais vous devrez alors repartir en empruntant le chemin par lequel vous êtes venu.* Si vous parvenez à tuer la Vase, rendez-vous au **38.**

172

Vous bavardez pendant quelques instants. « Prenez le chemin le plus simple pour traverser la rivière, vous conseille le Maître des Loups, ne voyez pas de pièges là où il n'y en a pas. » Il vous enseigne également une formule magique que vous pourrez prononcer si jamais des Loups vous menacent : ils se montreront alors tout à fait bienveillants à votre égard. Et, maintenant, il est temps de repartir en vous rendant au **314.**

170 *Un homme grand, bronzé, entièrement vêtu de vert et assis au sommet d'un rocher vous salue.*

Il éclate d'un rire tonitruant qui fait trembler les étagères. Votre réticence ne l'a pas le moins du monde offensé et en fait, il est à présent tout à fait convaincu que vous êtes bien l'aventurier dont il a besoin. « Je vais vous dire *mon* secret, assure-t-il, je ne suis pas du tout un sorcier mais un simple marchand originaire d'un autre pays. J'ai acheté de nombreux objets et Pierres Magiques dotés de grands pouvoirs et c'est pourquoi tout le monde pense que je suis un magicien de première force. Je ne cherche surtout pas à détromper quiconque car je suis sûr ainsi d'être traité avec respect. » Vous demandez alors à Pompatarte de quoi il a besoin dans le Marais aux Scorpions. « De renseignements, répond-il, si j'avais une carte qui permette de le traverser, je pourrais y envoyer mes caravanes de marchandises et je gagnerais ainsi des semaines et des semaines de transport. Si vous êtes capable de me rapporter une carte montrant clairement le chemin qu'il convient de prendre pour atteindre la ville de Courbensaule, au nord du Marais, je vous donnerai la moitié des économies que j'aurai réalisées au cours de la première année. » Vous vous doutez qu'une telle somme pourrait bien représenter des centaines de Pièces d'Or, mais vous restez prudent. « Si vous n'êtes pas un sorcier, répondez-vous, quel genre de magie pourrez-vous m'offrir pour m'aider à survivre dans le Marais aux Scorpions ? » Il éclate à nouveau de rire, puis : « Je vous ai dit, réplique-t-il, que j'achète beaucoup d'objets magiques. Regardez ces Pierres de Magie : chacune d'elle permet de jeter un sort. »

Il renverse alors sur la table toute une boîte de Pierres Magiques qui scintillent devant vous. « Vous pouvez en prendre cinq, poursuit-il, cinq à votre choix. Je pense que vous n'en aurez pas besoin d'autant, mais je suis généreux. » Reportez-vous à la liste des Pierres de Magie, au début de ce livre, et choisissez-en cinq à votre convenance. Mais attention : vous ne pourrez faire votre choix que dans la liste des *Pierres Neutres* car ce sont les seules dont dispose Pompatarte. Vous inscrirez ensuite ces cinq Pierres sur votre *Feuille d'Aventure*. Vous serrez alors la main de Pompatarte – à votre grande surprise, il a une poigne exceptionnellement vigoureuse – et la Gobeline vous raccompagne au pied des escaliers. Vous traversez le marché, fort animé à cette heure, puis vous quittez le village en prenant la direction du Marais. Votre mission sera la suivante : parcourir le Marais aux Scorpions vers le nord pour essayer d'atteindre la ville de Courbensaule dont vous devrez revenir avec une carte détaillée que vous remettrez à Pompatarte. Rendez-vous au **9** pour commencer votre voyage.

174

Vous posez un regard froid sur Stratagus. Le cadavre de son serviteur est étendu entre vous deux. Le sorcier marmonne alors quelques mots pour lui-même, d'un air furieux : apparemment, il n'a pas encore décidé ce qu'il convenait de faire. Si vous souhaitez l'attaquer, rendez-vous au **225.** Si vous préférez l'inviter à parler affaires d'une manière civilisée, rendez-vous au **193.**

175

Vous sortez avec précaution de votre poche la baie d'Anthérique. « Merveilleux ! » s'écrie le vieil homme au comble de la joie. Il prend alors la baie au creux de votre paume et l'emporte dans son jardin. Puis il la pose délicatement sur le sol en murmurant quelques paroles magiques. Presque aussitôt une petite plante se met à pousser et grandit jusqu'à devenir un luxuriant buisson semblable à celui que vous avez vu dans le Marais. Des bourgeons s'ouvrent en emplissant l'air de leur parfum et des grappes de baies violettes se forment sur les branches. Gayolard met en terre quelques-unes de ces nouvelles baies et d'autres pousses en jaillissent aussitôt. Enfin, il lève les yeux vers vous. « Je suis confus, dit-il, j'étais tellement content que j'ai oublié pendant un instant que vous étiez là. A présent ces buissons vont grandir et j'enverrai à mes confrères sorciers des oiseaux voyageurs qui leur apporteront des baies en abondance. Bientôt, tout le monde disposera à nouveau d'Anthérique et c'est à vous qu'on le devra. Vous avez réalisé aujourd'hui un fantastique exploit, soyez-en remercié. » Gayolard vous offre des Potions de Guérison et un Repas chaud que vous acceptez avec gratitude. Pendant le dîner, vous parlez de choses et d'autres et, bientôt, vous quittez sa maison, le cœur léger et l'esprit en paix, prêt à vivre de nouvelles aventures. Vous avez pleinement réussi votre mission.

176

Vous vous trouvez face à une terrifiante créature. La Bête Immonde est dotée d'une peau épaisse et rêche ainsi que de griffes énormes. Elle est par ailleurs aussi rapide et souple que vous ! Impossible de vous échapper, il vous faut la combattre jusqu'à la mort.

BETE IMMONDE	HABILETÉ : 9	ENDURANCE : 10

Si vous parvenez à la tuer, rendez-vous au **125.**

177

Malheureusement, vous ne pouvez être d'aucune aide au Géant. Il ne semble plus du tout disposé à vous attaquer et vous poursuivez donc votre chemin en passant devant lui. Rendez-vous au **161.**

178

Hélas ! vous n'êtes pas un sorcier et ce qui peut être bon pour un magicien n'est pas forcément bon pour vous. Aussi devrez-vous réduire de 1 point votre total de CHANCE après avoir goûté à ce champignon. Rendez-vous ensuite au **352.**

179

Trois chemins permettent de quitter cette clairière. Celui orienté au nord semble suivre une pente descendante. Quelle direction allez-vous prendre ?

Le nord ?	Rendez-vous au **183**
Le sud ?	Rendez-vous au **10**
L'est ?	Rendez-vous au **118**

180

L'Anneau de Cuivre est le seul objet de valeur que vous possédiez et vous ne voulez pas vous en séparer, mais vous n'avez pas le choix, c'est votre honneur qui est en jeu. Avec tristesse, vous l'ôtez donc de votre doigt. Le Chef des Brigands remarque alors votre mine consternée et vous en demande la cause. Lorsque vous lui expliquez de quoi il s'agit, il insiste aussitôt pour que vous gardiez l'Anneau. « Vous avez fait montre d'une grande honnêteté, dit-il, et j'aurais honte de vous prendre la seule chose qui vous reste alors que vous en avez tellement besoin. » Puis il vous donne une grande claque sur l'épaule manifestant ainsi que vous avez gagné la confiance et l'amitié de ces hommes. Rendez-vous à présent au **214.**

181

Vous apercevez à nouveau l'Ours qui, lui aussi, vous a vu. Il vous faut le combattre. Si vous l'aviez blessé auparavant, il n'aura récupéré que 1 point d'ENDURANCE par rapport au total dont il disposait lorsque vous l'avez quitté. Bien entendu, si vous ne l'avez pas blessé, il bénéficie de tous ses points d'ENDURANCE. Rendez-vous au **200.**

182

Avant que vous ayez eu le temps de réagir, les Scorpions ont grimpé sur vos bottes et le long de vos jambes de pantalon. Ils commencent alors à vous piquer et vous perdez autant de points d'ENDURANCE que le chiffre obtenu en lançant un dé. Furieux, vous sautez par-dessus les autres Scorpions et vous quittez la clairière. Rendez-vous au **319.**

183

A mesure que vous avancez, le sol devient rocheux et le chemin s'élève. Bientôt, au lieu du morne feuillage des arbres, c'est le ciel que vous voyez au-dessus de vous et vous arrivez un peu plus tard au sommet d'une haute falaise qui surplombe le cours de la Rivière Croupie. *Vous êtes dans la Clairière n° 20*. Les eaux boueuses de la rivière coulent à vingt mètres au-dessous et la falaise est trop escarpée pour songer à en descendre la paroi. En contrebas, vous apercevez d'énormes Crocodiles qui flottent paresseusement au soleil. Beaucoup plus loin à l'est, un pont semble traverser le cours d'eau, mais aucun sentier le long de la rive ne permet d'aller dans cette direction. Il existe deux chemins par lesquels vous pouvez quitter la clairière. Qu'allez-vous faire ?

Aller au sud en pénétrant dans le Marais ? Rendez-vous au **66**

Aller vers l'ouest, le long de la rivière ? Rendez-vous au **295**

Plonger dans l'eau et nager en direction du nord ? Rendez-vous au **30**

Plonger dans l'eau, mais nager plutôt en direction de l'est ? Rendez-vous au **321**

184

Vous ne pouvez vous résoudre à attaquer la Maîtresse des Oiseaux et vous lui parlez plutôt de votre mission en lui révélant qu'elle vous a été confiée par le mauvais sorcier. Elle hoche alors la tête avec pitié et vous tient ce langage : « Je ne devrais pas vous aider du tout car vous vous êtes mis au service du Mal. Mais vous n'êtes pas vous-même malfaisant, sinon, vous ne m'auriez pas raconté votre histoire avec autant de sincérité. » Puis elle réfléchit un instant et se

183 *En contrebas de la falaise, vous apercevez d'énormes crocodiles qui flottent paresseusement au soleil.*

met à sourire. « Voici ce que je vais faire, reprend-elle. Je vais fabriquer une fausse Amulette en forme d'oiseau. Quiconque la verra pensera qu'elle est authentique, ainsi Stratagus sera trompé et vous n'aurez pas à importuner mes frères sorciers. Cependant, si vous venez à rencontrer le Maître des Araignées, n'hésitez pas à le tuer car c'est un être maléfique. » Elle fait ensuite un geste de la main et, aussitôt, une Amulette exactement semblable à la sienne apparaît au creux de votre paume. Vous la remerciez de sa gentillesse et vous repartez en vous rendant au **217.**

185

Heureusement pour vous, il croit votre histoire. « Vous êtes dans la bonne direction, dit-il. Plus loin à l'est, vous trouverez le Maître des Jardins : c'est un bon sorcier dont les pouvoirs sont grands. » Vous le remerciez de vous avoir donné ce renseignement et vous repartez. Rendez-vous au **234.**

186

Vous avez tué les deux Coupeurs de Bourses, mais vous ne prenez même pas le temps de fouiller leurs cadavres. Vous rengainez votre épée et vous quittez Courbensaule au plus vite avant de faire d'autres mauvaises rencontres. Rendez-vous au **343.**

187

Trois chemins permettent de quitter la clairière. Dans quelle direction souhaitez-vous allez ?

Au sud ? Rendez-vous au **144**

A l'est ? Rendez-vous au **290**

A l'ouest ? Rendez-vous au **10**

188

Vous lancez la Pierre de Feu, mais malheureusement il n'y a rien à brûler car la Vase est une créature constituée d'eau. Si vous souhaitez faire usage d'une autre Pierre de Magie, retournez au **400.** Si vous préférez essayer une tout autre tactique, faites un nouveau choix en vous rendant au **336.**

189

Vous remarquez que la terre a été remuée au pied d'un des arbres qui bordent la clairière. Vous creusez aussitôt en cet endroit précis et vous trouvez deux Pierres de Magie : l'une d'Amitié, l'autre de CHANCE. Inscrivez-les sur votre *Feuille d'Aventure* et rendez-vous au **348.**

190

Vous reculez pour prendre votre élan. *Tentez votre Chance*. Si vous êtes Chanceux, vous parvenez à sauter de l'autre côté sans difficulté. Si vous êtes Malchanceux, en revanche, votre bond est un peu trop court et vous êtes obligé de patauger dans les Sables Mouvants pour gagner un sol plus ferme. Ces efforts vous coûtent

2 points d'ENDURANCE. Rendez-vous à présent au **270.**

191

Quelle Pierre de Magie allez-vous utiliser contre le Maître des Loups ?

Une Pierre de Terreur ?	Rendez-vous au **224**
d'Amitié ?	Rendez-vous au **294**
de Malédiction ?	Rendez-vous au **93**
de Feu ?	Rendez-vous au **64**
Aucune de celles-ci ?	Rendez-vous au **398** et faites un nouveau choix

192

Vous êtes de retour dans la clairière où vous avez rencontré le Voleur. Si vous ne l'avez pas tué, rendez-vous au **267.** Si vous l'avez tué, rendez-vous au **179.**

193

Stratagus contemple d'un air contrarié le désordre provoqué par la bagarre puis il hausse les épaules et se met à rire. « Soit, dit-il, parlons affaires à présent. » Il vous conduit alors dans une autre pièce, disparaît un instant et revient en apportant plusieurs fioles de potions. « Buvez tout cela, vous conseille-t-il, vous vous sentirez mieux. » Méfiant, vous examinez les bouteilles remplies de liquides chatoyants et vous buvez enfin le contenu de l'une d'elles. Le sorcier éclate de rire en vous voyant si soupçonneux mais en vérité vous vous sentez effectivement mieux. Cette bouteille contenait une Potion de Guérison. Vous buvez alors tous les autres liquides et vous êtes soulagé de constater que vous vous portez mieux que jamais. Vos points d'HABILETÉ, d'ENDURANCE et de CHANCE retrouvent aussitôt leur niveau initial et vous vous rendez au **206.**

194

Il se met à rire en se frottant les mains : de toute évidence, il est satisfait. « Excellent ! s'exclame-t-il. Je savais que vous réussiriez ! Donnez-moi tout cela. » Allez-vous lui remettre votre butin ou demander d'abord à être payé ? Si vous lui donnez ce qu'il demande, rendez-vous au **99.** Si vous voulez d'abord votre argent, rendez-vous au **207.**

195

Vous êtes dans la Clairière n° 1. En vérité, il s'agit simplement d'un large rond-point d'où partent trois sentiers. Le sol est instable et humide et de gros insectes volettent au-dessus des mares qui parsèment l'endroit. Si vous souhaitez traverser cette clairière avec précaution pour rejoindre un autre chemin, rendez-vous au **58.** Si vous préférez essayer de franchir d'un bond la partie marécageuse du sol, rendez-vous au **91.**

196 *Un squelette étendu parmi les herbes témoigne simplement qu'un autre aventurier a eu moins de chance que vous.*

196

Vous lancez la Pierre Magique de Flétrissure aux Fleurs d'Angoisse qui se fanent aussitôt et meurent. Vous jetez ensuite un coup d'œil alentour sans rien découvrir d'intéressant. Un squelette étendu parmi les herbes témoigne simplement qu'un autre aventurier a eu moins de chance que vous. Rendez-vous au **367.**

197

Le cadavre du Géant repose au centre de la clairière. A genoux, près de lui, une femme immense pleure à chaudes larmes. Apparemment, il s'agit de son épouse. La Géante lève vers vous un regard désespéré. Elle ne vous menace pas cependant, et vous n'avez certes pas l'intention de l'attaquer pour ajouter encore à son infortune. En vérité, vous regrettez d'avoir tué le Géant et vous perdez 2 points de CHANCE. Vous vous promettez alors de ne plus jamais revenir dans cette clairière, sauf nécessité absolue. Rendez-vous à présent au **161.**

198

« Au secours ! Un tueur de sorciers ! » s'écrie-t-il soudain en coassant. Son visage se convulse sous l'effet de la terreur et il fait un bond de trois mètres en arrière. « Tuez-le ! » ordonne-t-il en vous montrant du doigt. Ses Grenouilles s'avancent alors vers vous et il vous faut les combattre. Rendez-vous au **146.**

199

Deux Brigands se reposent dans la clairière qui semble être leur lieu de ralliement. En vous reconnaissant, ils vous font un signe de la main et sourient. Vous répondez à leur salut et vous poursuivez votre chemin. Rendez-vous au **19.**

200

Vous avez tué un nombre impressionnant de monstres et de bêtes sauvages, et ce n'est certainement pas un Ours qui va vous faire peur. Vous lui lancez donc un cri de défi et vous brandissez votre épée.

OURS	HABILETÉ : 7	ENDURANCE : 8

Si vous sentez que vous avez le dessous, vous pouvez prendre la *Fuite* en empruntant le chemin de votre choix. Rendez-vous pour cela au **390.** Si vous tuez votre adversaire, rendez-vous au **69.**

201

Vous lancez votre Pierre Magique de Terreur en espérant lui faire suffisamment peur pour qu'elle vous donne son Amulette. Elle vous regarde alors et se met à hurler d'épouvante, mais, aussitôt, des centaines d'oiseaux aux couleurs étincelantes se précipitent sur vous et vous entourent. Ils ne cherchent cependant pas à vous attaquer : ils protègent seulement leur Maîtresse. Vous ne pouvez plus rien voir et lorsqu'ils s'en vont enfin, la Maîtresse des Oiseaux a disparu. Rendez-vous au **217.**

202

Vous n'avez aucune raison de vous attarder ici. Trois chemins s'offrent à vous. Quelle direction allez-vous prendre ?

Le sud ? Rendez-vous au **138**

L'est ? Rendez-vous au **41**

L'ouest ? Rendez-vous au **14**

203

Contre ces étranges adversaires, il vous semble judicieux de recourir à la magie. Quelle Pierre allez-vous utiliser ?

Feu ? Rendez-vous au **75**

Flétrissure ? Rendez-vous au **393**

Croissance ? Rendez-vous au **114**

Aucune de celles-ci ? Il ne vous reste plus qu'à vous rendre au **28** et à combattre.

204

Le chemin s'élargit peu à peu et des fleurs apparaissent çà et là. *C'est la Clairière n°[o] 23. Si vous y êtes déjà venu, rendez-vous au* **250.** *Sinon, lisez ce qui suit*. Un frisson alors vous parcourt l'échine. Il y a quelque chose d'anormal en cet endroit. Votre Anneau de Cuivre devient chaud autour de votre doigt, vous avertissant d'un danger. Vous regardez autour de vous mais vous ne voyez rien d'autre que ces jolies fleurs qui poussent en luxuriants bouquets le long du chemin. C'est à ce moment qu'un souvenir vous revient en mémoire : on vous a parlé de ces FLEURS D'ANGOISSE et vous comprenez immédiatement que ce sont elles qui vous font peur. Leur pollen en effet provoque la terreur chez celui qui le respire. Vous vous êtes mis à trembler et vous perdez de ce fait 1 point d'HABILETÉ. Qu'allez-vous faire à présent ?

Essayer de courir droit devant vous pour fuir les fleurs ? Rendez-vous au **269**

Les attaquer avec votre épée ? Rendez-vous au **32**

Recourir à la magie ? Rendez-vous au **80**

205

Grognard commande un autre pichet de bière et s'installe confortablement sur sa chaise. « Gayolard est le bon sorcier, explique-t-il, Stragus s'est mis au service du Mal, bien qu'un homme aussi peu instruit que moi ne puisse véritablement affirmer de telles choses, et, quant à Pompatarte, c'est un bien étrange personnage. Nul n'en sait très long à son sujet, tout ce qui est sûr, c'est qu'il a de grands pouvoirs. Tous trois ont fait savoir qu'ils cherchaient un aventurier pour explorer le Marais. Si vous voulez en apprendre davantage, il faudra que vous leur rendiez visite. » Qu'allez-vous faire ?

Apporter votre aide à Gayolard le bon sorcier ? Rendez-vous au **335**

Prendre le risque de servir le Mal en espérant toucher une bonne prime et aller voir, dans ce cas, le sinistre Stratagus ? Rendez-vous au **255**

Essayer plutôt d'entrer en contact avec le mystérieux Pompatarte ? Rendez-vous au **27**

206

Vous êtes assis dans le bureau de Stratagus. Un miroir ouvragé est accroché au mur, ou plutôt on dirait un miroir, mais les images qu'il renvoie changent sans cesse. Des étagères poussiéreuses sont remplies de gros volumes, de vieilles bouteilles et d'objets étranges dont certains semblent être des animaux momifiés. Tout un mystérieux bric-à-brac s'étale ainsi sous vos yeux. « Je suis un collectionneur, vous dit Stratagus. Je collectionne le savoir et les objets. Or, récemment, un étrange événement s'est produit. Plusieurs sorciers se sont installés dans le Marais aux Scorpions, des sorciers dont jusqu'alors j'ignorais totalement l'existence. Leurs pouvoirs semblent importants, mais limités, et apparemment ils sont liés d'une manière ou d'une autre à la nature, aux plantes ou aux animaux. L'un d'entre eux, par exemple, a la faculté de commander aux Loups, un autre serait capable de contrôler la végétation. Mon miroir ne peut guère m'offrir une vue très nette du Marais, mais je les ai épiés autant que j'ai pu, et si j'en juge d'après mes observations, leur pouvoir leur viendrait d'Amulettes d'Argent qu'ils portent au cou. » « Qu'attendez-vous donc de moi ? interrogez-vous. Et surtout, combien me paierez-vous ? » « Je veux ces Amulettes, réplique-t-il, au moins trois d'entre elles. Si vous pouvez en rassembler davantage, tant mieux ! Vous avez carte blanche, il m'importe peu de savoir comment vous les aurez obtenues et je vous paierai 500 Pièces d'Or pour chaque Amulette que vous me rapporterez. » « Quelle magie pouvez-vous me fournir pour m'aider à survivre dans le Marais ? » demandez-vous alors. Stratagus éclate de rire. « Je peux faire de vous un sorcier, répond-il. Enfin, presque... Je vous donnerai 6 Pierres de Magie, pas une de plus. Mais cela devrait vous suffire pour faire votre chemin, étant donné la virtuosité dont vous faites preuve avec votre épée. » Vous déterminez alors avec Stratagus les Pierres Magiques qu'il vous donnera. Reportez-vous à la liste qui figure au début de ce livre et choisissez 6 Pierres de Magie, mais vous ne devrez prendre que des Pierres *Maléfiques* ou *Neutres*. Aucune de celles énumérées dans la liste des Pierres *Bénéfiques* ne peut vous être fournie par Stratagus. Vous avez le droit de choisir la même Pierre en deux ou plusieurs exemplaires du moment que leur total général n'excède pas 6. Vous les inscrirez ensuite sur votre *Feuille d'Aventure*. Une fois vos

Pierres rassemblées, vous prenez congé de Stratagus et vous vous dirigez vers le Marais aux Scorpions qui vous semble agréable et accueillant, comparé à la tour sinistre du mauvais sorcier. Votre mission sera celle-ci : vous devrez vous emparer des Amulettes de trois au moins des Maîtres du Marais et les rapporter à Stratagus. Rendez-vous au **9** pour commencer votre voyage.

207

Stratagus se renfrogne. « Vous êtes malin, à n'en pas douter ! Insolent, mais malin ! » Sous votre regard attentif, il compte alors 500 Pièces d'Or pour chaque Amulette rapportée. L'opération prend du temps et lorsqu'il a enfin terminé il fait glisser les Pièces dans un sac qu'il vous tend. Rendez-vous au **358.**

208

Il semble faire de plus en plus clair à mesure que vous avancez. Et, soudain, vous apercevez un coin de ciel bleu à travers une trouée du feuillage, juste au-dessus de votre tête. Quelques minutes plus tard, les arbres s'écartent au bout du chemin et vous vous apercevez que vous avez quitté le Marais. Si vous n'avez pas terminé votre mission, vous pouvez revenir sur vos pas en suivant ce sentier dans l'autre sens jusqu'à ce que vous arriviez à une clairière. Rendez-vous alors au **195.** Si, en revanche, vous vous estimez prêt à retourner chez votre sorcier pour lui rapporter le résultat de vos recherches, rendez-vous au **159.**

209

Vous continuez à marcher vers l'est pendant un moment. Un peu plus loin, vous apercevez une clairière au centre de laquelle est creusé un petit bassin. *Vous êtes dans la Clairière n° 25. Si vous y êtes déjà venu, rendez-vous au* **168.** *Sinon, lisez ce qui suit.* Vous vous approchez pour examiner les lieux et, soudain, une énorme créature à la peau brune et caoutchouteuse émerge du bassin en essayant de vous attraper à l'aide d'un de ses tentacules. Vous faites un bond en arrière et la BETE DU BASSIN s'avance vers vous. Un magnifique Bijou Violet étincelle à son front. Qu'allez-vous faire ?

Vous enfuir ? Rendez-vous au **397**

L'attaquer avec votre épée ? Rendez-vous au **82**

Recourir à la magie ? Rendez-vous au **34**

210

C'est la clairière où vous avez rencontré l'effroyable Bête Immonde. Si vous avez tué la créature, rendez-vous au **243.** Dans le cas contraire, rendez-vous au **143.**

209 *Soudain, une énorme créature à la peau brune et caoutchouteuse émerge du bassin.*

211

Vous vous demandez à quoi vous pourriez bien mettre le feu. Peut-être à la massue du Géant ? Non... à sa barbe grise, plutôt ! Vous lancez alors votre Pierre et, instantanément, sa barbe s'enflamme. Il se met aussitôt à rugir et à la tapoter vigoureusement du plat de la main jusqu'à ce qu'elle s'éteigne. Le Géant est furieux à présent. Votre magie a réduit son HABILETÉ, mais il reste très fort, et il ne vous laissera pas prendre la *Fuite*.

GÉANT HABILETÉ : 6 ENDURANCE : 12

Si vous parvenez à le tuer, rendez-vous au **366.**

212

Vous parlez au Maître des Grenouilles de la plante que vous cherchez. « Ah oui, je connais, dit-il, mais j'ignorais qu'il restât des buissons d'Anthérique. Ils ne me sont d'aucune utilité cependant, car je suis un Sorcier Neutre et seuls les Bons Sorciers peuvent s'en servir. Pourquoi donc, dans ce cas, devrais-je vous aider ? » Qu'allez-vous faire ?

Le menacer avec votre épée ? Rendez-vous au **62**

Lui lancer une Pierre Magique ? Rendez-vous au **258**

Lui offrir un cadeau pour vous attirer ses bonnes grâces ? Rendez-vous au **15**

213

La chaleur soudaine qui se dégage de l'Anneau de Cuivre vous rappelle que cet homme est malfaisant et, dans un mouvement instinctif, vous vous laissez tomber en arrière de tout votre long. Le Voleur qui s'apprêtait à vous étrangler avec une cordelette se trouve pris au dépourvu et vous vous relevez alors d'un bond. Rendez-vous au **267.**

214

A présent que les Brigands sont bien disposés à votre égard, vous leur demandez où vous êtes et ils vous répondent que la ville de Courbensaule se trouve un peu plus loin au nord. Ils ajoutent que des trois auberges qu'on peut y trouver, *La Lance Tordue* est de loin la meilleure et que vous pouvez faire confiance au patron. Vous saluez alors les Brigands puis vous poursuivez votre route. Rendez-vous au **19.**

215

Les Loups se mettent à grogner et vous sautent dessus. Vous n'avez pas le temps de recourir à la magie et, d'un coup d'épée vigoureux, vous frappez l'un d'eux en plein bond, lui tranchant la gorge tout net. Son compagnon estime alors prudent de tourner autour de vous en cherchant le meilleur angle d'attaque. Il vous faut le combattre.

LOUP HABILETÉ : 7 ENDURANCE : 6

Si vous parvenez à le tuer, rendez-vous au **247**.

216

Ils sont trop nombreux pour que vous puissiez les combattre. Déjà, ils ont grimpé sur vos bottes puis le long de vos pantalons et commencent à vous piquer. En lançant un dé, vous saurez combien de points d'ENDURANCE vous avez ainsi perdu. Furieux, vous sautez d'un bond par-dessus les autres Scorpions et vous quittez la clairière. Rendez-vous au **319.**

217

Il n'y a qu'un seul chemin qui permette de quitter la clairière : celui par lequel vous êtes arrivé. Vous reprenez donc la direction du sud et bientôt vous arriverez dans la clairière des Fleurs d'Angoisse. Rendez-vous au **250**.

218

Le chemin s'élargit et aboutit à une autre clairière. *C'est la Clairière nº 15*. Un autre sentier permet d'aller plus loin. Vous jetez un regard autour de vous et vous apercevez une faible lueur. C'est une boule de feu dansant, autrement dit un FEU FOLLET. Il reste suspendu dans les airs, à la lisière ouest de la clairière, puis soudain recule de quelques mètres. Dans sa clarté, vous distinguez alors ce qui pourrait être un troisième sentier, au sol boueux et envahi de végétation. Le Feu Follet danse à l'entrée de ce sentier et semble vouloir vous montrer quelque chose. Allez-vous le suivre ou pas ?

Si vous voulez suivre le Feu Follet en direction de l'ouest — Rendez-vous au **72**

Si vous préférez ne pas lui prêter attention et vous diriger vers le sud — Rendez-vous au **336**

Enfin, si vous préférez, cette fois encore, ne pas faire attention à lui mais prendre la direction de l'est — Rendez-vous au **121**

219

Vous avez réussi à tuer le Patrouilleur au prix d'un rude combat. En fouillant son cadavre, vous découvrez alors un poignard effilé et des vivres. Vous prenez également son casque qui est de bon ouvrage et vous donne 1 point d'HABILETÉ supplémentaire lorsque vous vous en coiffez. Rendez-vous au **234**.

220

Vous bavardez pendant un moment, mais sans trouver l'occasion de dérober l'Amulette ni même d'orienter la conversation sur un sujet intéressant. Si vous souhaitez dire tout simplement la vérité au Maître des Jardins et lui demander son Amulette en forme de fleur, rendez-vous au **292**. Si vous préférez essayer une tout autre tactique, rendez-vous au **334**.

221

Vous tirez votre épée en attendant la charge de la Licorne.

LICORNE HABILETÉ : 11 ENDURANCE : 4

Vous avez de la chance que la créature soit déjà gravement blessée ; vous devrez livrer contre elle au moins deux Assauts et vous pourrez alors prendre la *Fuite* si vous le désirez en vous rendant pour cela au **348**. Si vous tuez la Licorne, rendez-vous au **277**.

222

Un énorme DÉMON cornu, au pelage vert et hirsute et à la peau recouverte de répugnantes verrues, apparaît entre Stratagus et vous. C'est l'être le plus repoussant que vous ayez jamais vu. Le sorcier pointe alors vers vous un index décharné : « Tue cet imbécile ! s'écrie-t-il. Tue-le et rapporte-moi l'Anneau qu'il porte au doigt. Tu pourras ensuite manger son cadavre. » Vous avez fait preuve d'une grande imprudence en vous comportant ainsi avec ce sorcier maléfique et vous allez devoir à présent en payer le prix.

DÉMON HABILETÉ : 16 ENDURANCE : 12

Vous ne pouvez vous enfuir car le Démon vous rattraperait à coup sûr. Par chance, il ne dispose d'aucune arme en dehors de ses énormes mains noueuses et vous avez donc une chance de le vaincre. Si vous parvenez à le tuer, rendez-vous au **174**. Sinon, votre aventure se terminera ici, avant même que vous ayez pénétré dans le Marais aux Scorpions. Le mauvais sorcier sera ravi de posséder votre Anneau de Cuivre, et le

222 *Un énorme Démon cornu, au pelage vert et hirsute et à la peau recouverte de répugnantes verrues apparaît entre Stratagus et vous.*

Démon se penchera sur votre cadavre en se léchant les babines...

223

Vous n'avez donc plus qu'à revenir sur vos pas en empruntant dans l'autre sens *le chemin par lequel vous êtes arrivé*. Rendez-vous au **270**.

224

Vous lancez une Pierre Magique de Terreur au Maître des Loups. Il fait aussitôt volte-face et court se réfugier dans sa maison. Les deux Loups, en revanche, vous attaquent, et vous devrez les combattre tous deux à tour de rôle.

	HABILETÉ	ENDURANCE
Premier LOUP	7	5
Deuxième LOUP	6	6

Si vous sentez que vous avez le dessous, vous pouvez prendre la *Fuite* en vous rendant au **314**. Si vous tuez les Loups, rendez-vous au **46**.

225

« Espèce d'imbécile outrecuidant ! s'écrie le Sorcier. C'est moi-même qui vais te tuer ! » Il sort alors de sous sa toge une Baguette Magique en bois d'ébène ; lorsqu'il la brandit, elle se transforme en une épée dentelée qui brille d'une lueur rouge. Il ne vous reste plus qu'à engager le combat.

STRATAGUS HABILETÉ : 9 ENDURANCE : 10

S'il vous tue, peut-être serez-vous dans une vie future plus circonspect dans votre manière de traiter avec les sorciers maléfiques. Mais si vous parvenez à le vaincre, rendez-vous au **140**.

226

A un jet de pierre de la lisière du Marais, vous retrouvez la tour de Stratagus, toujours baignée d'une atmosphère maléfique. A nouveau, vous vous avancez vers la porte de fer dont la sculpture hideuse a quelque peu changé d'expression. Le corps parcouru d'un frisson, vous vous apprêtez à frapper, mais la porte s'ouvre devant vous. Stratagus apparaît alors, tout frémissant d'impatience. « Alors, s'écrie-t-il, vous les avez eues ? Qu'est-ce que vous m'avez rapporté ? Où sont-elles ? » D'un geste avide, il tend la main. Qu'avez-vous à lui répondre ?

Si vous n'avez pas réussi à vous procurer d'Amulettes — Rendez-vous au **54**

Si vous en rapportez une ou deux — Rendez-vous au **7**

Si vous en avez trois ou plus — Rendez-vous au **194**

227

Trois chemins permettent de quitter la clairière. Celui qui mène vers l'est paraît plus étroit et plus sombre que les autres. Dans quelle direction souhaitez-vous aller ?

Vers le nord ? — Rendez-vous au **66**

l'est ? — Rendez-vous au **388**

l'ouest ? — Rendez-vous au **320**

228

Les graines d'Arbres-Épées que vous aviez ramassées vont se révéler utiles ! Vous les répandez en effet devant vous et vous lancez votre Pierre de Croissance. Instantanément, elles se transforment en une rangée de troncs qui brandissent leurs épées d'un air menaçant. La Bête Immonde, saisie de fureur, se jette sur eux et en abat un presque immédiatement. Vous comprenez alors qu'ils ne résisteront pas longtemps et vous vous hâtez de rebrousser chemin en direction de l'est, le long du sentier par lequel vous êtes arrivé. Rendez-vous au **279**.

229

« Je suis désolé, monsieur le Géant, assurez-vous. J'ignorais que je me trouvais sur une propriété privée. Pourriez-vous me dire, s'il vous plaît, ce qui vous a ainsi mis en fureur ? » Tout à coup, son agressivité l'abandonne et il s'assoit par terre en reniflant, des larmes coulant sur ses joues. Ne trouvant rien pour se sécher les yeux, il s'essuie d'un revers de main. Vous êtes navré de le voir dans cet état : il est si grand et si triste... « Quelqu'un m'a volé mon mouchoir tout neuf, explique-t-il. C'est ma femme qui me l'avait fait et voilà que je l'ai perdu. Elle va être furieuse ! Je n'arrive plus à le retrouver et je ne peux quand même pas rentrer chez moi sans lui ! » Vous lui demandez alors de vous décrire le mouchoir et il vous répond qu'il était rouge vif et tout à fait magnifique. Si vous avez une Cape Rouge dans votre Sac à Dos, rendez-vous au **286**. Dans le cas contraire, rendez-vous au **177**.

230

Vous avez tué les Grenouilles Géantes, mais leur Maître a disparu. Il a dû s'enfuir quelque part dans le Marais. Vous nettoyez soigneusement la lame de votre épée, ruisselante de sang et de vase, puis vous fouillez la clairière en vous attendant à le voir revenir à l'attaque par-derrière. Mais rien ne se passe et vous ne découvrez aucun objet intéressant au cours de votre inspection. Rendez-vous au **352**.

231

Tentez votre Chance. Si vous êtes Chanceux, rendez-vous au **18**. Si vous êtes Malchanceux, rendez-vous au **259**.

232

Vous cueillez délicatement la baie et vous la rangez avec soin dans votre Sac à Dos. Si vous vous êtes mis au service de Gayolard, rendez-vous au **389**. Sinon, vous quittez la clairière en reprenant la direction du sud. Rendez-vous alors au **342**.

233

L'Aigle se pose sur une branche de l'arbre et vous observe. Il a le regard féroce et son grand bec crochu s'ouvre et se ferme d'une manière menaçante. Si vous souhaitez l'attaquer, rendez-vous au **392**. Si vous préférez reculer prudemment, rendez-vous au **25**.

234

Deux sentiers permettent de quitter la clairière. Si vous souhaitez aller à l'est, rendez-vous au **305**. Si vous préférez prendre la direction du sud, rendez-vous au **121**.

235

Vous vous adossez contre un grand arbre de telle sorte qu'un seul Brigand à la fois puisse s'approcher de vous. Bien qu'ils soient cinq,

235 *Vous vous adossez contre un grand arbre de telle sorte qu'un seul Brigand à la fois puisse s'approcher de vous.*

seuls les trois plus grands s'apprêtent à vous combattre.

	HABILETÉ	ENDURANCE
CHEF DES BRIGANDS	9	10
Deuxième BRIGAND	8	8
Troisième BRIGAND	8	11

Vous êtes dans une position qui vous interdit toute tentative de fuite ; si vous parvenez à tuer ces trois adversaires, les deux autres brigands prendront la poudre d'escampette. Rendez-vous alors au **19**.

236

Après votre long voyage à travers le Marais, c'est plus que vous ne pouvez en supporter et vous descendez l'escalier quatre à quatre en brandissant votre épée. Que les joyeux fêtards se taisent, ou sinon !... En les menaçant ainsi, cependant, vous n'obtenez pour toute réponse que de grands éclats de rire. Vous vous avancez alors vers eux, l'air furieux, mais l'aubergiste saisit aussitôt une chaise dont il vous frappe le bras d'un grand coup. Votre épée tombe à terre et votre bras est contusionné. Vous perdez 2 points d'HABILETÉ. Vous vous rendez compte qu'il est tout à fait impossible de vous battre contre tous ces hommes réunis et vous retournez donc dans votre chambre. Rendez-vous au **116**.

237

Vous lancez la Pierre Magique de Flétrissure sur la Bête du Bassin, mais le sortilège n'a aucun effet. Cette Bête est un animal, pas une plante. Il ne vous reste plus, dès lors, qu'à la combattre en vous rendant au **82**.

238

Vous vous trouvez dans la clairière du Maître des Jardins. Elle est aussi magnifique que d'habitude mais déserte. Vous retournez alors vers l'ouest. Rendez-vous au **363**.

239

Vous êtes dans la clairière du Maître des Loups. Sa maison est fermée à double tour et il n'y a pas signe de vie alentour. Rendez-vous au **314**.

240

Vous approuvez ce que dit Grognard. Votre voyage serait beaucoup plus intéressant si vous aviez également une mission précise à remplir. Il hoche la tête puis reprend : « Il y a trois hommes dans ce village qui ne peuvent pas aller eux-mêmes dans le Marais, mais chacun d'eux a besoin des services d'un rude aventurier qui serait d'accord pour s'y risquer. Le premier de ces trois hommes est un vieux sorcier qui s'est toujours consacré à la cause du Bien. » Grognard s'interrompt pour boire une longue gorgée de sa chope. Si vous voulez en entendre davantage, rendez-vous au **205**. Si vous préférez lui dire dès maintenant que, de toute façon, vous ne pouvez accepter de servir que la cause du Bien, rendez-vous au **155**.

241

Vous avez réussi à impressionner Stratagus. « Vous êtes bel et bien celui que je cherchais, dit-il en vous gratifiant d'une vigoureuse tape dans le dos. Venez avec moi et nous allons voir ce que nous pourrons faire pour devenir riches tous deux. Mais d'abord, voici un cadeau pour vous. » Il fouille alors dans une poche de sa toge et en sort une Epée miniature qui grandit jusqu'à atteindre une taille normale lorsqu'il vous la tend. C'est une Epée Magique qui vous permettra d'ajouter 1 point à votre total d'HABILETÉ chaque fois que vous en ferez usage. Tandis que vous examinez cette arme, Stratagus vous touche l'épaule à l'aide de sa Baguette Magique. Par ce simple geste, il vient de ramener vos points de CHANCE à leur niveau *initial* si tant est que vous en ayez perdu au cours du combat. Rendez-vous à présent au **206**.

242

Lorsque vous franchissez le seuil de la porte, vous vous rendez compte que le sac n'est pas aussi lourd qu'il devrait l'être, il s'en faut même de beaucoup. Après avoir risqué votre vie pour lui en traversant le Marais, voilà que Stratagus essaye de vous escroquer ! Qu'allez-vous faire ?

Retourner le voir et l'attaquer ? Rendez-vous au **124**

Y retourner, mais recourir plutôt à la magie ? Rendez-vous au **256**

Vous résigner en vous contentant d'emporter ce qu'il vous a donné ? Rendez-vous au **358**

243

Il n'y a rien à voir ici en dehors de l'énorme carcasse de la Bête Immonde dont se délecte une multitude d'insectes charognards en forme de crabe. Vous n'avez aucune envie de vous approcher des lieux du festin et vous quittez donc la clairière en prenant la direction de l'est. Rendez-vous au **279**.

244

Vous expliquez le but de votre mission. Le Géant éclate alors d'un rire joyeux et vous dit qu'il a vu récemment un buisson semblable à celui que vous cherchez dans une petite clairière située au nord. « Mais faites attention aux Loups ! » vous prévient-il. Vous le remerciez et vous prenez congé. Rendez-vous au **161**.

245

Vous utilisez sur vous-même la Pierre d'Illusion en prenant l'apparence d'une grenouille de taille moyenne. Vous pouvez ainsi traverser la clairière en passant inaperçu parmi les autres grenouilles et vous glisser derrière le champignon sur lequel s'est assis le Maître. Il s'est montré amical à votre égard et vous ne souhaitez pas lui faire de mal ; vous vous contentez donc de vous emparer prestement de l'Amulette en faisant glisser au-dessus de sa tête la chaîne qui la retient. En accomplissant ce geste, vous le poussez dans la mare ; il se met à coasser et à crachoter, mais il a la bouche pleine d'eau et ne peut plus prononcer de formule magique pour vous neutraliser. Vous en profitez pour rejoindre à toutes jambes le sentier qui permet de quitter la clairière. Rendez-vous au **352**.

246

Vous fouillez les cadavres des Brigands. L'un d'entre eux possédait un bocal rempli d'une poudre à l'odeur amère. Si cette poudre ne vous intéresse pas, abandonnez-la et poursuivez votre chemin en vous rendant au **19**. Si, en revanche, vous souhaitez frotter vos blessures avec la poudre en question, rendez-vous au **67**.

247

Vous examinez soigneusement les lieux mais vous ne trouvez rien d'intéressant, à part un buisson de forme inhabituelle qui a poussé presque au centre de la clairière. Il est doté de feuilles vert foncé et de fleurs blanches. En haut de ce buisson, vous remarquez une grosse baie violette. Qu'allez-vous faire ?

Manger la baie ? Rendez-vous au **20**

La cueillir et la garder ? Rendez-vous au **232**

La laisser là et poursuivre votre chemin en retournant vers le sud ? Rendez-vous au **342**

248

Elle lance un étrange cri qui se répercute en écho parmi les arbres. « Je viens d'appeler un grand Aigle sur lequel j'ai l'habitude de voyager. Vous ne pourrez pas le monter comme un cheval, mais si je le lui commande, il vous amènera jusqu'à son nid qui se trouve de l'autre côté de la Rivière Croupie. Vous échapperez ainsi à bien des périls et vous gagnerez du temps. » A peine a-t-elle fini de parler que vous entendez un battement d'ailes. Un Aigle immense vient alors se poser à côté de vous. Vous ne comprenez pas ce que lui dit la Maîtresse des Oiseaux, mais soudain, il vous saisit par la taille dans ses serres puissantes et reprend son vol en battant vigoureusement des ailes. Un instant plus tard, vous êtes loin au-dessus de la clairière. L'Aigle vole en direction du nord-est. Vous apercevez en bas d'autres clairières et enfin les eaux larges et verdâtres de la Rivière Croupie. D'énormes crocodiles s'y prélassent en compagnie d'autres monstres. L'Aigle descend alors dans une

248 *Soudain, l'Aigle reprend son vol et vous saisit par la taille dans ses serres puissantes.*

clairière où se dresse un arbre de grande taille au sommet duquel un nid gigantesque a été construit à l'aide de branchages. L'Aigle vous dépose sur le sol et s'en va. *Vous êtes dans la Clairière n° 16*. Rendez-vous au **202**.

249

Tentez votre Chance. Si vous êtes Chanceux, vous parvenez à rejoindre la clairière sans dommage. Si vous êtes Malchanceux, vous trébuchez dans l'obscurité et vous vous faites mal au bras en tombant. Cette chute vous coûte 1 point d'HABILETÉ, mais vous réussissez quand même à atteindre la clairière. Vous pouvez à présent poursuivre votre chemin. Si vous souhaitez aller au sud, rendez-vous au **336**. Si vous préférez prendre la direction de l'est, rendez-vous au **121**.

250

Vous vous trouvez dans la clairière où vous avez rencontré les Fleurs d'Angoisse. Si vous les avez toutes tuées, rendez-vous au **367**. Si elles étaient encore vivantes lorsque vous avez quitté les lieux, vous êtes bien placé pour savoir qu'il va vous falloir courir à toutes jambes si vous voulez passer au milieu d'elles sans être paralysé de terreur. Rendez-vous au **269**.

251

Vous avez tué le Maître des Jardins. C'était un bon sorcier qui ne voulait de mal à personne et vous commencez à regretter votre geste. Vous perdez 3 points de CHANCE. Vous vous emparez ensuite de l'Amulette en forme de fleur qu'il portait autour du cou et vous reprenez le seul chemin qui permet de quitter la clairière. Ce chemin est orienté vers l'ouest. Rendez-vous au **363**.

252

Rassemblant votre courage, vous lancez une Pierre de Malédiction au Géant. Que va-t-il se passer ? Vous le voyez chanceler, il se met à rugir, puis il se frotte les yeux à grands gestes frénétiques : le Géant est devenu aveugle ! Il passe devant vous en titubant et tombe dans la boue. Vous vous hâtez alors de quitter les lieux avant qu'il recouvre la vue. C'est alors que vous sentez sur vous-même les effets de la Malédiction. Lancez un dé : vous aurez perdu autant de points d'ENDURANCE que le chiffre obtenu. Si vous êtes toujours vivant, rendez-vous au **161**.

253

Vous buvez la potion et vous éprouvez aussitôt une étrange sensation. Cette potion est destinée à rendre beau celui qui la boit, mais elle a été préparée pour des nains ! Son effet sur vous est quelque peu insolite : pendant une heure, vous serez plus petit et plus trapu que d'habitude et votre nez deviendra beaucoup plus gros. Au bout d'une heure, vous reprendrez votre apparence normale mais vous devrez réduire de 1 point votre total d'HABILETÉ *lors du prochain combat que vous aurez à livrer*. Dès la fin de ce combat, vos points d'HABILETÉ retrouveront le niveau qu'ils avaient avant que vous buviez la potion. Rendez-vous au **88**.

254

Vous jetez la Pierre Magique de Flétrissure à un gros arbre planté sur la rive. Il s'abat aussitôt, formant ainsi un pont sur lequel vous pouvez traverser la rivière. Lorsque vous atteignez la berge opposée, l'arbre se décompose littéralement et tombe dans le cours d'eau. De l'endroit où vous êtes, vous pouvez prendre la direction du nord ou celle du sud. Si vous souhaitez aller au nord, rendez-vous au **157**. Si vous préférez aller au sud, rendez-vous au **398**.

255

Stratagus vit seul dans une tour bâtie à proximité du Marais. Lorsque vous demandez le chemin qui mène à sa demeure, personne n'accepte de vous répondre. Une vieille dame vous fait le signe du mauvais œil et une jeune fille prend la fuite. Finalement, un voyou squelettique qui traîne sur la place du marché vous indique la direction à prendre et vous vous mettez en route vers la maison du Sorcier dont le seul nom inspire l'effroi à tout le monde. Dès que vous apercevez la tour où il habite, votre Anneau de Cuivre se met à chauffer autour de votre doigt. Stratagus est, à n'en pas douter, un être maléfique. La sensation de chaleur devient de plus en plus intense à mesure que vous vous approchez de la tour sombre aux étranges arcades, entourée de terrifiantes statues. Si vous souhaitez aller jusqu'à la porte, rendez-vous au **40**. Si vous préférez rebrousser chemin et revenir au village, rendez-vous au **139**.

256

Vous êtes courageux – ou peut-être simplement téméraire – pour oser ainsi faire usage de votre magie contre le Sorcier maléfique. Quel sortilège allez-vous choisir ?

Malédiction ?	Rendez-vous au **274**
Terreur ?	Rendez-vous au **365**
Feu ?	Rendez-vous au **385**
Illusion ?	Rendez-vous au **351**
Aucun de ceux-ci ?	Rendez-vous au **57**

257

Lancez deux dés. Si la somme des chiffres obtenus est inférieure ou égale à votre total d'HABILETÉ, vous parvenez à sauter par-dessus cette Vase répugnante. Augmentez de 2 points votre total de CHANCE et rendez-vous au **153**. Si la somme des deux chiffres est supérieure à votre total d'HABILETÉ, vous atterrissez en plein sur cet amas de Vase. Rendez-vous alors au **311**.

258

Recourir à la magie contre un sorcier est une entreprise hasardeuse. Quel sortilège allez-vous choisir ?

Peur ? Rendez-vous au **198**
Amitié ? Rendez-vous au **127**
Aucun des deux ? Rendez-vous au **212**
et faites un nouveau choix

259

Les Brigands sursautent sous l'effet de la surprise, mais ils se reprennent très vite et vous font face. Lorsqu'ils voient que vous êtes tout seul, ils se mettent alors en colère, vous abreuvent d'injures et se précipitent sur vous à leur tour. Il vous faut les combattre. Rendez-vous au **235**.

260

Vous lancez votre Malédiction contre la Maîtresse des Oiseaux. Pendant un instant, rien ne se produit, mais bientôt les traits de son visage se durcissent : votre Pierre de Magie a eu sur elle un effet terrifiant, elle vient de la transformer en un personnage maléfique. La jeune femme pousse alors un hurlement furieux et agite la main. Aussitôt, des centaines d'oiseaux fondent sur vous. Puis, soudain, ils s'éloignent à nouveau : la Maîtresse des Oiseaux a retrouvé sa vraie personnalité mais, pour vous, il est trop tard. Les oiseaux ne vous ont pas épargné et avant de sombrer dans les ténèbres, vous distinguez l'expression désolée qui se dessine sur le visage de la jeune femme. Un instant plus tard, vous êtes mort et votre aventure se termine.

261

Vous estimez que la meilleure chose à faire pour neutraliser un être maléfique est de lui jeter un sortilège également maléfique. Vous lancez donc votre Malédiction contre le Maître des Araignées qui se met aussitôt à hurler puis il s'écroule sur le sol en se tordant de douleur. Il semble peu à peu se transformer et se relève quelques instants plus tard en ayant pris l'apparence d'une de ses créatures : une immense araignée grise à tête d'homme. C'est alors que vous sentez sur vous-même les effets de la Malédiction. Lancez un dé qui vous indiquera combien de points d'ENDURANCE vous avez perdu. Si vous êtes toujours vivant, l'Araignée Géante vous attaque avec hargne.

ARAIGNÉE GÉANTE	HABILETÉ : 8	ENDURANCE : 9

Impossible de prendre la fuite, il vous faut combattre jusqu'à la mort de l'un de vous deux. Si vous parvenez à tuer l'Araignée, rendez-vous au **354**.

262

« Je suis au service de Pompatarte le marchand, répondez-vous. J'ignore s'il est bon ou méchant, je me contente de lui dessiner une carte qui lui

261 *Le Maître des Araignées se relève en ayant pris l'apparence d'une immense araignée grise à tête d'homme.*

permettra de retrouver son chemin à travers le Marais. » Si vous êtes déjà parvenu jusqu'à Courbensaule, rendez-vous au **166**. Dans le cas contraire, rendez-vous au **115**.

263

Vous reconnaissez l'endroit où vous avez été attaqué par l'Herbe à Pinces. Si vous l'avez tuée, rendez-vous au **187**. Sinon, rendez-vous au **33**.

264

Vous jetez la Pierre de Flétrissure au Maître des Jardins mais, comme il n'est pas lui-même une plante, le sortilège reste sans aucun effet. Il se met en colère cependant lorsqu'un arbre, situé derrière lui, meurt instantanément sous l'effet de la Pierre. Il fait alors un geste de la main et vous jette un sortilège de Feu. Vos cheveux s'enflamment aussitôt et vous vous donnez de grandes tapes sur la tête pour les éteindre. Les brûlures subies vous coûtent 2 points d'ENDURANCE. Vous attaquez ensuite le Maître des Jardins en brandissant votre épée. Rendez-vous au **379**.

265

Vous êtes dans la clairière où vous avez rencontré la Licorne, mais l'endroit est désert à présent. Rendez-vous au **348**.

266

Il vous lance un Sac d'Or que vous attrapez au vol, puis vous tournez les talons et vous marchez le long du couloir sombre en direction de la porte à la hideuse sculpture. La mine maussade, vous vous rendez au **242**.

267

Vous entendez le Voleur pousser un cri de colère tandis qu'il se précipite sur vous. Il n'est armé que d'un poignard, mais c'est un adversaire retors.

VOLEUR HABILETÉ : 10 ENDURANCE : 9

Il vous est impossible de prendre la fuite, car le voleur ne vous laisse pas un instant de répit. Si vous parvenez à le tuer, rendez-vous au **386**.

268

Il n'y a rien dans la clairière à part quelques os rongés, et vous vous hâtez de poursuivre votre chemin. Rendez-vous au **390**.

269

Votre terreur s'accroît tandis que vous fuyez les Fleurs d'Angoisse. Vous perdez un autre point d'HABILETÉ. Lorsque, enfin, vous vous êtes suffisamment éloigné, votre peur diminue quelque peu. Rendez-vous au **367**.

270

Deux sentiers permettent de quitter la clairière. Si vous souhaitez vous diriger vers le nord, rendez-vous au **275**. Si vous préférez aller à l'ouest, rendez-vous au **331**.

271

Au moment où vous passez devant le Maître des Loups, vous tirez votre épée et vous lui en portez un coup. La lâcheté de cette attaque vous coûte 1 point de CHANCE. Vous vous rendrez ensuite au **120** pour combattre votre adversaire dont vous réduirez de 2 points le total d'ENDURANCE en raison de la blessure que vous lui avez infligée.

272

Vous réussissez tant bien que mal à retourner au village. Vous êtes épuisé et trempé car vous êtes tombé dans une mare de boue. Réduisez de 2 points votre total de CHANCE et remerciez le ciel d'être encore en vie. Vous prenez un bain chaud à l'auberge et vous vous sentez alors nettement mieux. Vous allez ensuite retrouver Grognard en vous excusant de votre impétuosité. Il hoche la tête et esquisse un sourire. « Vous avez de la chance et vous êtes résistant, sinon, vous ne seriez même jamais revenu vivant », dit-il. Rendez-vous au **205**.

273

Tandis que vous vous hâtez le long du chemin qui mène au village, votre Anneau de Cuivre se met à vous picoter le doigt. Vous jetez alors un coup d'œil par-dessus votre épaule et vous apercevez une forme noire qui s'envole de la tour. Vous vous cachez aussitôt dans des buissons et vous observez la créature qui s'est ainsi lancée à votre poursuite, mais vous ne saurez jamais de qui ou de quoi il s'agissait exactement. Au bout d'un moment, en effet, la mystérieuse silhouette noire retourne au sommet de la tour et vous vous mettez à courir à toutes jambes jusqu'à ce que vous ayez atteint le village où vous arrivez hors d'haleine et passablement débraillé. Vous feriez mieux de vous choisir un autre patron ! Si vous souhaitez vous entretenir avec le bon sorcier Gayolard, rendez-vous au **335**. Si vous préférez prendre contact avec Pompatarte, l'homme à l'aura de mystère, rendez-vous au **27**.

274

Vous lancez votre Malédiction au Sorcier maléfique, en utilisant une des Pierres de Magie qu'il vous a lui-même données. Il se met alors à hurler en se tenant la gorge à deux mains. Son propre sortilège a sur lui un effet radical puisqu'il s'écroule à vos pieds et meurt en quelques instants. C'est alors que vous ressentez sur vous-même les conséquences de la Malédiction. Lancez un dé : le chiffre obtenu représente le nombre de points d'ENDURANCE que vous avez perdus. Si vous êtes toujours vivant, vous fouillez la sinistre tour dans l'espoir de découvrir ses trésors cachés. Mais l'atmosphère devient bientôt lourde et oppressante. Quant à votre anneau, il reste chaud vous avertissant qu'un danger plane toujours sur vous, un danger peut-être même plus grand qu'auparavant. Soudain, vous sentez une odeur de soufre. Si vous souhaitez rester quelques minutes dans la tour pour voir ce que vous pourrez trouver, rendez-vous au **375**. Si vous préférez partir immédiatement, rendez-vous au **298**.

275

Un trou dans le sol vous fait bientôt trébucher. Vous regardez à terre et vous vous apercevez alors que le trou en question est en fait une empreinte de cinquante centimètres de long, laissée là par une énorme botte à semelle cloutée. *Vous êtes à l'entrée de la Clairière nº 7. Si vous y êtes déjà venu, rendez-vous au* **342**. *Sinon, lisez ce qui suit.* Vous entrez dans la clairière et vous vous trouvez nez à nez avec un GÉANT d'une taille fantastique. Il a l'air furieux et brandit une grosse massue hérissée de pointes. Votre Anneau de Cuivre reste froid, il ne s'agit donc pas d'une créature maléfique. Le Géant n'en est pas moins dangereux pour autant. « IL EST INTERDIT DE PASSER ! » hurle-t-il à votre adresse. Qu'allez-vous faire ?

L'attaquer ?	Rendez-vous au **12**
Essayer de le calmer ?	Rendez-vous au **229**
Recourir à la magie ?	Rendez-vous au **145**

276

Vous fouillez dans votre Sac à Dos et vous lui offrez le Bijou Violet que vous avez pris sur la tête de la créature du bassin. Il arbore aussitôt un large sourire qui le fait ressembler plus que jamais à une grenouille. « Hé, hé ! en effet, voilà bien une excellente raison de vous aider », coasse-t-il en prenant le bijou. Rendez-vous au **104**.

277

La Licorne est morte. Sachant que sa corne est dotée de grands pouvoirs magiques, vous la coupez à l'aide de votre épée et vous la rangez dans votre Sac à Dos (inscrivez-la sur votre *Feuille d'Aventure*). Si vous souhaitez repartir dès à présent, rendez-vous au **348**. Si vous aimez mieux rester un peu pour fouiller la clairière, rendez-vous au **86**.

275 *Vous vous trouvez nez à nez avec un Géant, d'une taille fantastique, qui brandit une grosse massue hérissée de pointes.*

278

Vous voulez effrayer les Brigands pour les inciter à fuir, mais sans leur faire de mal et vous utilisez donc contre eux une Pierre de Terreur. Un instant plus tard, vous bondissez de derrière les arbres en hurlant et en brandissant votre épée. Les Brigands sont terrifiés, ils pensent que vous faites partie d'une véritable armée venue envahir leur territoire et ils s'enfuient à toutes jambes, disparaissant parmi les arbres qui entourent la clairière. Vous passez alors devant eux en courant tandis qu'ils s'enfouissent dans la boue pour mieux se cacher. La voie est libre pour vous et vous vous rendez au **19**.

279

A votre grande consternation, les branches des terribles Arbres-Épées ont déjà repoussé, et si vous voulez les combattre avec votre épée, vous devrez vous rendre au **28**. Si vous préférez en revanche recourir à la magie, rendez-vous au **203**.

280

Vous suivez le sentier en direction du nord. Il s'élargit peu à peu et le Marais lui-même devient moins sinistre. Puis, bientôt, les marécages font place à la forêt et vous finissez par arriver devant un poteau indicateur qui signale : ROUTE DE COURBENSAULE. *Si vous êtes déjà venu à Courbensaule auparavant, rendez-vous au* **355**. *Sinon, lisez ce qui suit.* Quelques minutes plus tard, vous entendez des voix et vous rencontrez des gardes forestiers en compagnie desquels vous marchez jusqu'à la ville de Courbensaule.

Après tant d'aventures, la seule chose dont vous ayez besoin, c'est de trouver une auberge pour y passer une bonne nuit de sommeil. Les gardes forestiers vous indiquent qu'il existe trois auberges à Courbensaule. Laquelle choisirez-vous ?

« L'Ours Noir » ? Rendez-vous au **395**

« La Lance Tordue » ? Rendez-vous au **78**

« Le Cheval Volant de Tancrède » ? Rendez-vous au **289**

281

Vous vous ruez sur les Orques des Marais et votre bravoure les surprend. Ils laissent alors tomber leurs arcs et dégainent des épées. Heureusement pour vous ce sont des combattants peu habiles, mais il va falloir les affronter tous en même temps.

	HABILETÉ	ENDURANCE
Premier ORQUE DES MARAIS	6	7
Deuxième ORQUE DES MARAIS	7	7
Troisième ORQUE DES MARAIS	6	5

Chaque Orque des Marais vous combattra séparément à chaque Assaut, mais vous devrez d'abord choisir, lors de chacun de ces Assauts, lequel vous souhaitez affronter en priorité. Vous combattrez l'adversaire ainsi choisi selon les règles habituelles. Mais avec les deux autres, les règles changent : en effet, lorsque vous calculerez vos forces d'Attaque respectives, vous ne leur aurez infligé aucune blessure si votre Force d'Attaque est supérieure à la leur. Vous aurez simplement esquivé les coups qu'ils vous auront portés. En revanche, si c'est leur propre Force d'Attaque qui dépasse la vôtre, vous aurez vous-même reçu une blessure à la manière habituelle. Si vous parvenez à tuer l'un des Orques, le combat se poursuivra avec les deux autres selon le même principe, et si vous en tuez deux, vous continuerez à vous battre avec le survivant en observant les règles classiques. En cas de victoire, rendez-vous au **135**.

282

Vous lancez la Pierre de Glace sur la Vase. C'était bien ce sortilège qu'il convenait de choisir, car la Vase est une créature constituée d'eau et, sous l'effet le votre Pierre de Magie, elle gèle instantanément et meurt. Rendez-vous au **38**.

283

Le Maître des Jardins est enchanté. Vous lui promettez de demander à Gayolard qu'il lui envoie des baies d'Anthérique puis vous lui indiquez le chemin qui permet d'aller jusqu'à la clairière où vous avez trouvé le buisson. Il vous donne alors une Pierre de Magie *bénéfique* (choisissez vous-même laquelle, en vous reportant à la liste) et vous poursuivez ensuite votre chemin. Un seul sentier permet de quitter cette clairière, vous l'empruntez donc en retournant vers l'ouest. Rendez-vous au **363**.

284

La créature de pierre s'avance vers vous en traînant les pieds tandis que Stratagus, fort satisfait de ce spectacle, émet de petits rires diaboliques. De toute évidence, votre épée ne vous sera d'aucun secours contre un adversaire dur comme le roc. Vous réfléchissez une fraction de seconde puis vous abattez votre arme sur la table du sorcier : la lame en fend le bois et vous parvenez à détacher l'un des pieds de la table. Vous laissez alors tomber votre épée et vous affrontez la statue avec cette massue improvisée qui sera beaucoup plus efficace dans la situation présente. Stratagus, impressionné par votre force et la promptitude de vos réflexes, cesse de rire et observe attentivement le combat.

STATUE DE
GOBELIN HABILETÉ : 7 ENDURANCE : 6

Si vous parvenez à détruire la statue, rendez-vous au **156**. Si vous sentez que vous avez le dessous, vous pouvez prendre la *Fuite* en vous rendant au **315**.

285

Le mauvais Sorcier est furieux et décide de vous anéantir à l'instant même. « Prépare-toi à mourir, insolent ver de terre ! » lance-t-il. Il fait alors un geste de la main et vous lance un sortilège de Faiblesse. Vous perdez la moitié de vos points d'ENDURANCE, et il vous faut à présent combattre ou mourir. Si vous voulez attaquer le Sorcier avec votre épée, rendez-vous au **124**. Si vous préférez l'affronter en ayant recours à la magie, rendez-vous au **256**.

286

Il vous vient soudain une idée qui vous fait presque éclater de rire, mais vous vous retenez pour ne pas offenser le malheureux Géant. Vous fouillez alors dans votre Sac à Dos et vous en sortez la Cape Rouge. « Est-ce là votre mouchoir ? » lui demandez-vous en lui tendant l'étoffe. Le Géant vous la prend aussitôt des mains, l'air tout joyeux. « Où l'avez-vous trouvé ? » demande-t-il. Vous lui parlez de votre rencontre avec le Voleur, c'est sans doute lui qui a dérobé son mouchoir au Géant. Ce dernier recommence à pleurer, mais ce sont cette fois des larmes de joie qui coulent sur son visage. Il jure qu'il sera à tout jamais votre ami et vous demande ce qui vous a amené ici. « Y a-t-il quelque chose que je puisse faire pour vous aider ? » interroge-t-il. Vous lui parlez de votre mission. Au service de quel Sorcier vous êtes-vous mis ?

Gayolard ? Rendez-vous au **244**

Stratagus ? Rendez-vous au **317**

Pompatarte ? Rendez-vous au **103**

287

Il ne semble pas dangereux, mais vous hésitez à lui parler de votre véritable mission. Si vous souhaitez lui dire que vous êtes venu dans le Marais pour en rapporter les Amulettes des sorciers qui y habitent, rendez-vous au **198**. Si vous préférez inventer une histoire, rendez-vous au **359**.

288

Votre anneau reste froid, il est clair que la Maîtresse des Oiseaux est une bonne sorcière. Elle porte à son cou l'Amulette d'Argent en forme d'oiseau que vous avez pour mission de voler. Qu'allez-vous faire ?

L'attaquer ? Rendez-vous au **391**

Lui parler de votre mission ? Rendez-vous au **184**

Recourir à la magie ? Rendez-vous au **130**

289

Les Gardes Forestiers vous ont dit que « le Cheval Volant de Tancrède » était la moins chère des trois auberges et c'est donc là que vous avez décidé de passer la nuit. Le prix de la chambre est très raisonnable en effet puisqu'on ne vous demande qu'une demi-Pièce d'Or. Vous montez vous coucher et vous tombez endormi dès que vous avez posé la tête sur l'oreiller. Au milieu de la nuit, cependant, une sensation de brûlure à votre doigt vous réveille brusquement. L'Anneau de Cuivre est en train de vous avertir qu'un danger vous menace. Vous sautez alors de votre lit et vous saisissez votre épée ; à cet instant, une ombre s'enfuit de la chambre. Vous fermez ensuite la porte à double tour et vous allez vous recoucher. Lorsque vous vous éveillez au matin, vous vous sentez bien reposé et vous reprenez 2 points d'ENDURANCE. Hélas ! vous vous apercevez que votre voleur de la nuit vous a dérobé quelque chose. Rayez de votre *Feuille d'Aventure* deux objets au choix, Pierre de Magie ou autre, à l'exception de l'Anneau de Cuivre qui est resté à votre doigt. Vous quittez à présent l'auberge pour reprendre votre chemin. *Tentez votre Chance*. Si vous êtes Chanceux, rendez-vous au **150**. Si vous êtes Malchanceux, vous sortez simplement de la ville en direction du sud et vous pénétrez à nouveau dans le Marais aux Scorpions. Rendez-vous dans ce cas au **343**.

290

Vous distinguez des traces indiquant que quelqu'un est passé par là récemment. A quelque distance devant vous se trouve une autre clairière. *C'est la Clairière n° 26. Si vous êtes déjà venu, rendez-vous au* **323**. *Sinon, lisez ce qui suit*. Lorsque vous entrez dans cette nouvelle clairière, une flèche vous frôle la tête en sifflant. Vous apercevez alors trois ORQUES DES

290 *Vous apercevez trois Orques des Marais à la peau rongée de gale. Ils ont des arcs à la main.*

MARAIS à la peau rongée par la gale. Ils ont des arcs à la main, et les deux créatures qui n'ont pas encore tiré vous décochent leurs flèches. Si vous possédez l'Aimant d'Or, rendez-vous au **83**. Sinon, rendez-vous au **151**.

291

Vous lancez sur la Bête du Bassin votre Pierre Magique de Feu, mais la créature est humide et visqueuse : elle ne peut donc pas brûler. Il ne vous reste plus qu'à la combattre en vous rendant au **82**.

292

Vous expliquez la nature de votre mission au Maître des Jardins. Il hoche alors la tête d'un air triste puis ôte l'Amulette en forme de fleur de son cou et vous la met autour du vôtre. A l'instant où l'Amulette vous touche, vous êtes complètement paralysé et le Maître des Jardins, vous regardant droit dans les yeux, vous ordonne de tout lui dire à votre sujet. Une force irrépressible vous oblige à obéir et vous lui racontez votre vie. « Vous n'êtes pas un mauvais bougre, dit le Maître des Jardins lorsque vous en avez terminé. Mais vous servez un maître méprisable. La meilleure chose que je puisse faire pour vous, c'est de vous conseiller d'être toujours sur vos gardes. » Il récupère ensuite son Amulette et s'éloigne. Peu à peu, vous retrouvez la mobilité de votre corps et vous repartez en prenant la direction de l'ouest. Rendez-vous au **363**.

293

Vous lancez la Pierre Magique de Terreur sur la Licorne qui se met à hennir et à s'éloigner au galop. Un instant plus tard, elle est hors de vue. Rendez-vous au **348**.

294

Vous lancez votre Pierre Magique d'Amitié sur le Maître des Loups et vous attendez avec inquiétude qu'elle fasse son effet. Va-t-elle se révéler efficace ? Soudain, l'homme se met à rire. « Venez donc, venez », dit-il. Il vous conduit dans sa maison et les loups restent sagement à l'écart. Si vous souhaitez à présent l'attaquer par surprise, rendez-vous au **271**. Si vous préférez le suivre et bavarder avec lui, rendez-vous au **172**.

295

Vous vous retrouvez bientôt dans une petite clairière au bord de la Rivière Croupie. *C'est la Clairière n° 33*. La rive opposée est à 200 mètres de distance au moins et le cours d'eau est infesté de crocodiles et d'autres créatures tout aussi peu accueillantes. Qu'allez-vous faire ?

Marcher vers l'est, le long de la berge ?	Rendez-vous au **183**
Aller plutôt vers le sud ?	Rendez-vous au **94**
Lancer une Pierre Magique de Glace qui, en gelant l'eau, formera ainsi un pont que vous pourrez franchir à pied ?	Rendez-vous au **89**

296

Vous avancez bravement dans le Marais aux Scorpions, mais il y a dans votre attitude une grande part de témérité et, disons-le, d'inconscience car, bien que votre Anneau de Cuivre vous garantisse de ne jamais vous perdre, vous auriez besoin de recourir à bien d'autres formes de magie pour espérer sortir vivant de cette exploration. Sans l'aide de la magie, en effet, jamais vous ne pourrez percer les secrets du Marais et au bout de quelques heures de marche, vous êtes déjà épuisé et meurtri après avoir dû vous défendre contre toutes sortes de créatures, à la fois familières et étranges. Vous estimez bientôt préférable de retourner au village et vous faites donc demi-tour. *Tentez votre Chance*. Si vous êtes Chanceux, rendez-vous au **272**. Si vous êtes Malchanceux, rendez-vous au **3**.

297

Tandis que vous courez à toutes jambes, vous entendez un sifflement derrière vous. Vous jetez un regard par-dessus votre épaule : Stratagus vous poursuit sur un tapis volant. Vous faites aussitôt volte-face en brandissant votre épée, mais trop tard ! Il est sous l'effet d'un sortilège de Force dont lui seul a le secret et il vous saisit par la peau du cou puis vous emporte dans les airs. Vous avez beau hurler, le tapis volant s'élève de plus en plus haut, et, bientôt, le sorcier vous lâche. Vous tombez, vous tombez... et tout devient noir... Votre aventure est terminée.

298

Vous vous hâtez de sortir de la pièce, vous courez le long du couloir sombre et vous franchissez la porte à la hideuse sculpture. Bientôt, la tour maléfique est loin derrière vous. Vous avez la vie sauve, mais qu'avez-vous gagné ? Vous avez combattu des adversaires redoutables en affrontant la mort des dizaines de fois et tout cela pour quoi ? Un Sorcier malfaisant est un maître bien ingrat qu'il est périlleux de servir. Vous pouvez vous estimer heureux cependant d'avoir échappé si facilement aux griffes de Stragus. Au moins avez-vous rendu un grand service au monde en le débarrassant d'un mage aussi nuisible, mais vous vous promettez à l'avenir de vous montrer plus circonspect dans le choix des maîtres que vous servirez. Pour l'instant, en tout cas, votre aventure est terminée.

299

Vous lancez votre Pierre Magique de Terreur qui produit un résultat stupéfiant ! La Bête Immonde, en effet, s'arrête net puis va se réfugier de l'autre côté de la clairière en se cachant derrière des rochers et en poussant de petits gémissements plaintifs. Si vous voulez la poursuivre et la combattre, rendez-vous au **176**, mais, attention : l'effet de votre sortilège se dissipera bientôt, et la Bête redeviendra alors aussi redoutable qu'avant. Si vous préférez faire demi-tour et quitter la clairière en empruntant le chemin par lequel vous êtes arrivé, rendez-vous au **279**.

300

Il n'y a plus trace de l'énorme Géant : il a dû partir. Vous poursuivez donc votre chemin en vous rendant au **161**.

301

Deux Brigands se reposent dans la clairière qui semble être leur lieu de ralliement. Lorsqu'ils vous voient, ils se relèvent et vous attaquent. Il vous faut les combattre tous les deux à la fois.

	HABILETÉ	ENDURANCE
Premier BRIGAND	8	10
Deuxième BRIGAND	8	11

Chacun des deux Brigands vous combattra séparément à chaque Assaut, mais vous devrez d'abord choisir, lors de chacun de ces Assauts, lequel vous souhaitez affronter en priorité. Vous combattrez l'adversaire ainsi choisi selon les règles habituelles. Mais avec l'autre, les règles changent : en effet, lorsque vous calculerez vos Forces d'Attaque respectives, vous ne lui aurez infligé aucune blessure si votre Force d'Attaque est supérieure à la sienne, vous aurez simplement esquivé le coup qu'il vous aura porté. En revanche, si c'est sa propre Force d'Attaque qui dépasse la vôtre, vous aurez vous-même reçu une blessure à la manière habituelle. Si vous parvenez à tuer l'un des deux Brigands, le combat se poursuivra avec l'autre selon les règles normales. Vous pouvez à tout moment prendre la *Fuite* en vous rendant au **19**. Si vous tuez les deux Brigands, rendez-vous au **246**.

302

Vous prononcez la formule magique que le Maître des Loups vous a enseignée. Les deux énormes Loups vous font alors la fête en vous léchant les mains. Vous les caressez derrière l'oreille et vous leur ordonnez de se coucher, puis vous vous rendez au **247**.

303

Vous êtes de retour dans la clairière où vous avez été attaqué par les Scorpions. Vous jetez un regard inquiet autour de vous pour voir s'ils sont toujours là, et... en effet ils y sont, se précipitant vers vous de tous côtés. Mais cette fois, vous êtes prêt à les affronter. Rendez-vous au **70**.

304

A mesure que vous avancez en direction du nord, le Marais change d'aspect. Il devient moins lugubre et ressemble de plus en plus à une jungle tropicale. Des oiseaux aux couleurs éclatantes volent parmi les arbres et vous apercevez bientôt une clairière un peu plus loin. *C'est la Clairière nº 14. Si vous y êtes déjà venu, rendez-vous au* **149**. *Sinon, lisez ce qui suit.* Perché sur une branche, un gros Perroquet rouge et jaune vous observe attentivement. Lorsque vous vous approchez de lui, il vous parle : « Qui êtes-vous et que voulez-vous à la Maîtresse des Oiseaux ? » demande-t-il. Qu'allez-vous faire ?

Attaquer le Perroquet ? Rendez-vous au **71**

Demander à rencontrer sa Maîtresse ? Rendez-vous au **131**

305

Le chemin orienté vers l'est est fort bien entretenu, les arbres et les buissons ont été soigneusement taillés et leur feuillage n'envahit pas le sentier. Bientôt, vous arrivez devant une agréable clairière. *C'est la Clairière nº 27. Si vous y êtes déjà venu, rendez-vous au* **238**. *Sinon, lisez ce qui suit.* Toutes sortes de plantes et de fleurs poussent çà et là : de toute évidence, on en prend grand soin et l'endroit paraît tout à fait accueillant. Cette clairière semble d'ailleurs trop belle pour être entièrement naturelle, mais trop naturelle également pour être vraiment un jardin. Tandis que vous jetez un coup d'œil autour de vous, un homme s'approche : il est grand, large d'épaules et porte des vêtements maculés de terre. Vous devinez cependant que vous n'avez pas affaire à un simple jardinier, car il porte autour du cou une Amulette d'Argent en forme de fleur : il s'agit là du MAÎTRE DES JARDINS. Votre Anneau de Cuivre reste

305 *Vous devinez que vous n'avez pas affaire à un simple jardinier car il porte une Amulette d'argent en forme de fleur .*

froid : cet homme est animé d'intentions amicales. Quel est le sorcier que vous servez ?

Gayolard ? Rendez-vous au **36**

Pompatarte ? Rendez-vous au **84**

Stratagus ? Rendez-vous au **334**

306

Le Patrouilleur est toujours là et il vous attend, furieux. Si vous lui aviez fait perdre des points d'ENDURANCE, il les a tous récupérés depuis, grâce à une Pierre Magique d'ENDURANCE dont il a fait usage sur lui-même. Il vous faut le combattre à nouveau en vous rendant au **378**.

307

Vous jetez votre Pierre Magique de Feu sur les Fleurs d'Angoisse. Plusieurs d'entre elles brûlent aussitôt, mais un plus grand nombre encore sont restées hors d'atteinte des flammes. Il vous faut tenter de fuir. Rendez-vous au **269**.

308

La Bête du Bassin est enfin morte. A l'aide de votre épée, vous entaillez la chair de son front pour en détacher le gros Bijou Violet et vous repartez aussitôt sans oublier d'inscrire votre nouvelle acquisition sur votre *Feuille d'Aventure*. Le seul chemin qui permet de quitter la clairière vous ramène vers l'ouest. Rendez-vous au **330**.

309

Trois chemins vous permettent de quitter cette clairière. Dans quelle direction souhaitez-vous aller ?

Au nord ?	Rendez-vous au **47**
Au sud ?	Rendez-vous au **53**
A l'ouest ?	Rendez-vous au **388**

310

Vous jetez votre Pierre Magique de Feu sur l'Herbe à Pinces. Elle n'est pas entièrement brûlée pour autant, mais elle recule suffisamment pour vous permettre de vous échapper. Rendez-vous au **187**.

311

Le contact avec la Vase vous brûle comme un acide et vous reculez en chancelant. Ces brûlures vous coûtent 2 points d'HABILETÉ. Vous avez maintenant le choix entre vous enfuir par le chemin que vous avez emprunté pour arriver jusqu'ici ou combattre la Vase. Si vous souhaitez revenir sur vos pas, rendez-vous au **85**. Si vous préférez affronter la créature, rendez-vous au **171**.

312

Le Scorpion Géant vous menace de ses pinces. Il n'est pas gravement blessé : à l'évidence, le Nain n'était pas un combattant très habile.

SCORPION GÉANT	HABILETÉ : 9	ENDURANCE : 10

Si vous souhaitez prendre la *Fuite*, rendez-vous au **88**. Si vous parvenez à tuer le Scorpion Géant, rendez-vous au **324**.

313

L'eau de la rivière est chaude et le morceau de glace est en train de fondre sous vos pieds. Quelques instants plus tard, il se rompt en plusieurs autres morceaux et vous nagez désespérément en direction de la berge, votre épée à la main pour vous défendre contre toute attaque. Hélas ! votre Sac à Dos est trop lourd et vous coulez au fond en vous enlisant dans la vase que charrie le cours d'eau. Nous sommes au regret de vous annoncer que votre aventure se termine ici.

314

Vous avez le choix entre deux directions. Si vous voulez aller au nord, rendez-vous au **90**. Si vous préférez aller à l'est, rendez-vous au **195**.

315

Tentez votre Chance. Si vous êtes Chanceux, rendez-vous au **51**. Si vous êtes Malchanceux, une trappe s'ouvre devant vous et vous tombez dans un trou. Lorsque vous reprenez conscience, vous vous retrouvez attaché à un mur par de grosses chaînes. Stratagus se tient debout devant vous et vous sourit. Son sourire, cependant, n'a rien de chaleureux, et à la seule vue de ce qu'il tient dans les mains, vous vous mettez à trembler de tous vos membres. Inutile de préciser que votre aventure est terminée.

316

Malheureusement, il ne vous reste plus aucune Pierre de Magie. « Dommage, dit-il, j'aurais bien voulu vous aider, mais les Potions de Guérison coûtent cher et j'ai déjà suffisamment perdu d'argent dans cette entreprise. » Si vous souhaitez repartir dès maintenant, rendez-vous au **100**. Si vous êtes suffisamment furieux pour attaquer Pompatarte, rendez-vous au **341**.

317

Vous expliquez votre mission au Géant qui se gratte la tête d'un air pensif. Il a entendu parler de ces sorciers qu'on appelle les Maîtres, mais il n'a jamais eu affaire à eux. Vous lui donnez alors plus amples détails à leur sujet et un souvenir lui revient bientôt en mémoire. « J'ai vu un jour un magnifique jardin au milieu du Marais... Il se trouvait au nord d'ici, un peu à l'ouest, mais il n'y a aucun chemin qui y mène directement. Peut-être est-ce là que vit le Maître des Jardins ? » Vous le remerciez et vous repartez. Rendez-vous au **161**.

318

Vous pensez qu'ils peuvent peut-être vous aider et vous lancez votre Pierre magique d'Amitié sur leur chef. Puis vous vous avancez vers eux et vous les saluez. Deux des Brigands veulent aussitôt vous voler, mais leur chef les en empêche. Il trouve que vous avez une bonne tête et vous demande s'il peut faire quelque chose pour vous. Rendez-vous au **214**.

319

Vous vous hâtez de choisir une direction. Où souhaitez-vous aller ?

Au nord ? Rendez-vous au **138**

A l'est ? Rendez-vous au **47**

A l'ouest ? Rendez-vous au **66**

320

Le chemin suit une légère pente descendante et aboutit à une clairière au sol envahi d'herbes. *C'est la Clairière n° 29. Si vous y êtes déjà venu, rendez-vous au* **265**. *Sinon, lisez ce qui suit.* Un animal de couleur blanche est couché au centre de la clairière. Vous pensez d'abord qu'il s'agit d'un cheval, mais lorsqu'il tourne la tête dans votre direction, vous reconnaissez aussitôt une LICORNE. Elle semble blessée : des traces de griffes sont visibles sur son flanc. Elle se relève cependant et baisse sa corne vers vous en lançant un grognement qui ressemble fort à un défi. Qu'allez-vous faire ?

Vous enfuir ? Rendez-vous au **368**

La combattre ? Rendez-vous au **221**

Recourir à la magie ? Rendez-vous au **119**

321

Vous pensez que vous pouvez peut-être atteindre le pont en nageant dans la rivière. Peut-être

320 *Lorsque le cheval tourne la tête dans votre direction, vous reconnaissez aussitôt une Licorne.*

même existe-t-il quelque part un chemin orienté vers l'est que vous pourrez emprunter. Vous aurez en tout cas une longue distance à parcourir et vous vous y préparez soigneusement. Rendez-vous au **30**.

322

La Pierre de Flétrissure dessèche l'Herbe à Pinces et vous n'avez plus qu'à trancher ses tiges mortes avant de vous rendre au **81**.

323

Vous vous trouvez dans la clairière où vous avez rencontré les Orques des Marais. Si vous les avez déjà tués, rendez-vous au **309**. Sinon, vous devrez les combattre avec le total d'ENDURANCE qu'ils avaient lorsque vous les avez quittés. Rendez-vous pour cela au **281**.

324

Le monstre est mort. Quant au Nain, il semble qu'il ne respire plus. Qu'allez-vous faire ?

Quitter la clairière à l'instant même ?	Rendez-vous au **88**
Lancer au Nain un sortilège de Bénédiction ?	Rendez-vous au **383**
Fouiller le cadavre du Nain ?	Rendez-vous au **42**

325

Vous essayez d'atteindre l'autre rive avant que le pont ne fonde, mais vous n'êtes pas assez rapide et il se rompt en plusieurs morceaux. Si vous disposez d'une autre Pierre Magique de Glace, rendez-vous au **369**. Sinon, rendez-vous au **43**.

326

Il contemple la table brisée, les livres éparpillés alentour, les faïences cassées... les débris de la statue répandus sur le sol, puis il lève son regard sur vous. Son visage alors se convulse sous l'effet de la fureur et du mépris. « Pourquoi donc devrais-je vous prêter la moindre attention ? » s'écrie-t-il, « vous êtes juste assez bon pour vaincre une petite Statue de rien du tout et, en plus, vous avez l'audace de saccager mon salon ! » Qu'allez-vous faire ?

Ramper devant lui pour implorer son pardon ?	Rendez-vous au **98**
Faire volte-face et vous enfuir ?	Rendez-vous au **315**
Lui rappeler que c'est à cause de *lui* que ce combat a eu lieu dans son salon ?	Rendez-vous au **225**

327

Il est beaucoup plus dangereux que vous ne le pensiez. Qui aurait pu croire qu'un homme si gras et d'apparence si ridicule pût combattre avec tant d'habileté ? Vous faites alors volte-face et vous plongez par la fenêtre, espérant pouvoir vous échapper. Hélas ! une véritable foule s'est rassemblée devant la maison de Pompatarte, et à peine avez-vous eu le temps de reprendre vos esprits après une telle chute que deux robustes soldats vous ligotent les mains derrière le dos. Votre traîtrise à l'égard du marchand vous vaudra de passer de longues années dans les geôles de la ville. Votre aventure se termine donc ici.

328

Le Géant n'est finalement pas si méchant qu'il en a l'air. Quelque chose l'a rendu furieux, tout simplement, et lorsque vous lui jetez la Pierre Magique d'Amitié, il se met à rire en laissant tomber sa massue par terre. « Je me demande bien pourquoi je vous ai parlé ainsi, dit-il. Vous n'y êtes pour rien, je m'étais mis en colère contre quelqu'un d'autre. Qu'est-ce qui vous amène ici ? Si je puis vous aider, je serais heureux de le faire. » Soulagé que votre sortilège ait évité une effusion de sang, vous lui parlez de votre mission. Quel sorcier avez-vous décidé de servir ?

Gayolard ? Rendez-vous au **244**

Stratagus ? Rendez-vous au **317**

Pompatarte ? Rendez-vous au **103**

329

La clairière où vous aviez rencontré le Maître des Grenouilles est vide à présent. Dans la demi-clarté qui règne alentour, vous apercevez une faible lueur qui provient du champignon sur lequel il était assis. Vous vous en approchez et vous examinez attentivement le champignon. Vous remarquez alors des traces de dents humaines sur l'un des bords du chapeau. Le champignon dégage une odeur agréable et vous pouvez en manger un morceau si vous le désirez. Rendez-vous pour cela au **178**. Si vous préférez repartir, vous prendrez à nouveau la direction du nord en vous rendant au **352**.

330

Vous vous trouvez dans la clairière au gros tronc creux. Si vous y avez vu une créature lors d'une précédente visite, rendez-vous au **129**. Si vous ne savez pas qui vit dans ce tronc, vous pouvez décider d'examiner la clairière en vous rendant au **268**.

331

Vous êtes de retour dans la clairière où le grand Aigle a établi son nid. Vous ne voyez rien d'autre que le vieil arbre et le nid lui-même. Si vous avez combattu l'Aigle, rendez-vous au **202**. Sinon, rendez-vous au **112**.

332

Indifférent à l'avertissement que vous donne votre Anneau de Cuivre, vous vous adressez au Maître des Araignées sur un ton fort aimable. Il vous répond poliment en vous demandant ce qui vous amène par ici. Vous vous apprêtez à le lui expliquer lorsque vous ressentez soudain une vive douleur au cou. Le Maître éclate alors d'un rire joyeux. Vous faites aussitôt volte-face et vous vous retrouvez devant une grosse araignée noire qui se balance au bout d'un fil accroché à une branche. Son venin a tôt fait de se répandre dans votre sang et vous vous écroulez sur le sol, incapable de bouger. Dans un demi-brouillard, vous apercevez le Maître des Araignées qui fouille votre Sac à Dos pour examiner le butin qu'il vient de s'approprier. Puis vous sentez qu'on vous soulève par-derrière et qu'on vous hisse sur la branche d'un arbre. Quelques instants plus tard vous vous retrouvez enveloppé d'une toile d'araignée et vous restez là, suspendu entre ciel et terre. Dans une semaine ou deux, les Araignées qui vivent en ces lieux jugeront sans doute votre carcasse à point et s'offriront à vos dépens un délectable repas. Il est clair, bien entendu, que votre aventure est terminée.

333

« J'ai étudié la botanique, répond le Patrouilleur, et j'ai entendu parler de ce buisson, mais je ne savais pas qu'il y en avait dans le Marais aux Scorpions. En allant vers l'est, vous trouverez la clairière où habite un bon sorcier qu'on appelle le Maître des Jardins. Si quelqu'un sait où pousse ce buisson, c'est sûrement lui. » Vous le remerciez et vous poursuivez votre chemin en vous rendant au **234**.

334

Le Maître des Jardins porte autour du cou l'une des Amulettes que vous êtes chargé de rapporter. Qu'allez-vous faire ?

Attaquer le Maître avec votre épée ? Rendez-vous au **379**

Recourir à la magie ? Rendez-vous au **152**

Bavarder paisiblement avec lui ? Rendez-vous au **37**

335

Baissant la tête pour éviter de vous cogner contre une grosse lanterne à l'armature de fonte, vous quittez la taverne. Au-dehors, il fait un soleil exceptionnel et vous clignez des yeux pendant quelques instants pour vous accoutumer à cette brillante clarté. Vous vous mettez ensuite en chemin, mais vous vous apercevez bientôt que vous ignorez comment faire pour vous rendre chez le sorcier. Vous demandez alors à un vieil homme appuyé contre la vitrine de sa boutique où habite le bon sorcier Gayolard. Tout d'abord, l'homme semble soupçonneux, mais très vite, il devient beaucoup plus amical et vous indique quelle direction prendre. Un peu plus loin, vous vous perdez à nouveau, mais une grosse femme au visage rubicond se fait un plaisir de vous renseigner. Il semble que tout le monde ici connaît la demeure de Gayolard. Vous arrivez enfin devant une petite maison en bordure du village. Gayolard, un petit homme replet, vêtu d'une tunique blanche et d'un pantalon de lin, est en train de s'adonner à la poterie dans son jardin. Vous vous approchez de lui et vous lui racontez votre histoire. Il sourit alors et vous demande comment vous comptez vous y prendre pour traverser ce Marais dont personne n'a jamais réussi à établir la carte. Si vous souhaitez lui révéler l'existence de votre Anneau, rendez-vous au **371**. Si vous préférez garder le secret à ce sujet, rendez-vous au **96**.

336

Vous vous trouvez dans une zone particulièrement marécageuse, et chacun de vos pas produit sur le sol un bruit de succion. Bientôt, le chemin tourne légèrement et longe un grand bassin. Vous vous trouvez dans une clairière à laquelle on ne peut accéder que par ce seul sentier. *C'est la Clairière n° 28. Si vous y êtes déjà venu, rendez-vous au* **137**. *Sinon, lisez ce qui suit*. L'eau du bassin est agitée de vaguelettes et une Vase verdâtre en recouvre la surface. Ce n'est certainement pas là que vous souhaiteriez vous désaltérer ! Soudain, la fange du bassin paraît se contracter et vous êtes stupéfait de la voir se soulever et se répandre sur le sentier, vous barrant le passage. Il s'agit là d'un gros tas de VASE visqueuse de deux mètres de large qui

335 *Gayolard sourit et vous demande comment vous comptez vous y prendre pour traverser le Marais.*

dégage une odeur répugnante en rampant lentement vers vous. Qu'allez-vous faire ?

Vous enfuir ? Rendez-vous au **85**

Essayer de sauter par-dessus ? Rendez-vous au **257**

L'attaquer avec votre épée ? Rendez-vous au **171**

Recourir à la magie ? Rendez-vous au **400**

337

Vous lancez sur la Licorne une Pierre Magique de Feu. Sa crinière s'enflamme alors, mais pour un bref instant seulement, car l'animal a fait usage de ses propres pouvoirs magiques pour neutraliser votre sortilège. Il ne vous reste plus à présent qu'à la combattre. Rendez-vous au **221**.

338

Vous reconnaissez la clairière où vous aviez rencontré le Scorpion Géant et le Nain. Il n'y reste plus rien à présent, à part quelques ossements et une cuirasse. Rendez-vous au **88**.

339

Lorsque le pont se brise, vous vous arrangez pour prendre pied sur le plus gros des morceaux de glace. Vous disposez ainsi d'une sorte de radeau sur lequel vous pouvez descendre le cours de la rivière en direction de l'est. De part et d'autre, les berges sont recouvertes d'une épaisse végétation. Bientôt, vous apercevez devant vous un vieux pont de pierre d'une taille impressionnante. Si vous souhaitez vous y accrocher lorsque le courant vous aura entraîné juste au-dessous, rendez-vous au **384**. Si vous préférez continuer à flotter ainsi en espérant trouver un autre moyen de regagner la terre ferme, rendez-vous au **313**.

340

La lame de votre épée s'enfonce profondément dans sa poitrine. Il vous regarde alors d'un air incrédule et ouvre la bouche avec l'intention manifeste de vous dire quelque chose, mais il n'en a ni la force ni le temps et meurt presque aussitôt. L'arme dentelée lui glisse des doigts et vous la ramassez, intrigué par sa forme inhabituelle. Il ne vous faut pas longtemps pour vous rendre compte qu'il s'agit là d'une Épée Magique dotée de grands pouvoirs qui ajoutent 2 points au total d'HABILETÉ de quiconque s'en sert au combat. Rien d'étonnant, dans ces conditions, à ce que Stratagus ait fait preuve d'une si grande adresse lors de votre duel ! Vous commencez ensuite à fouiller la sinistre tour du sorcier pour essayer de découvrir les trésors qu'il y a cachés. Mais l'atmosphère bientôt devient lourde et oppressante. Votre anneau est toujours aussi chaud, vous avertissant ainsi d'un danger peut-être plus grand encore qu'auparavant. Vous sentez également une odeur de soufre. Si vous souhaitez rester quelques instants dans l'espoir de trouver quelque chose d'intéressant, rendez-vous au **375**. Si vous préférez partir à l'instant même, rendez-vous au **298**.

341

Son attitude désinvolte à votre égard, alors que vous avez risqué votre vie pour tenter de remplir votre mission, vous paraît tout à fait inacceptable. Vous tirez donc votre épée et vous l'attaquez avec la ferme intention de lui faire payer cher sa légèreté. Il est surpris, mais esquive malgré tout votre premier coup. Malgré sa masse imposante, il se déplace avec beaucoup d'adresse et tire bientôt une épée de derrière son bureau. Il se défend avec vigueur et vous vous apercevez très vite que vous avez affaire là à un redoutable adversaire.

POMPATARTE	HABILETÉ : 9	ENDURANCE : 14

Il tourne le dos à la porte, et si vous souhaitez prendre la *Fuite,* il vous faudra plonger par la fenêtre. Dans ce cas, vous vous rendrez au **327**. Si en revanche vous parvenez à réduire à 6 ou moins le total d'ENDURANCE de Pompatarte, vous vous rendrez au **372**.

342

Vous reconnaissez la clairière où vous avez rencontré l'énorme Géant. Si vous l'avez tué, rendez-vous au **197**. Sinon, rendez-vous au **300**.

343

Vous approchez de l'endroit où vous aviez rencontré les Brigands. Si vous étiez amis lorsque vous vous êtes quittés, rendez-vous au **199**. Si vous les avez fuis, trompés ou si vous avez tué certains d'entre eux, rendez-vous au **301**.

344

Les Loups baissent l'oreille et se mettent à gémir puis ils se hâtent de disparaître. Rendez-vous au **247**.

345

A mesure que vous approchez de l'endroit où vous avez tué le terrible Maître des Araignées, vous éprouvez une sensation de chaleur de plus en plus intense. A l'orée de la clairière, vous constatez qu'elle est en feu : il n'y a plus là qu'un immense brasier qui vous interdit le passage. La fumée qui se dégage de l'incendie vous étouffe à moitié et vous perdez 1 point d'ENDURANCE. Rendez-vous ensuite au **165** et notez bien que vous devrez quitter la clairière *en revenant sur vos pas, le long du sentier par lequel vous êtes arrivé.*

346

Vous lancez votre Pierre Magique de Terreur sur les Orques des Marais. L'un d'eux se met à hurler, lâche ses armes et s'enfuit dans les marécages. Mais les deux autres avancent vers vous et vous devrez les combattre en vous rendant au **281**. Vous affronterez le premier et le deuxième Orque en appliquant à deux adversaires au lieu de trois les règles particulières de ce combat, telles qu'elles vous sont expliquées au **281**.

347

Grâce à votre Sortilège d'Illusion, vous prenez l'apparence d'une plante. Stupéfait, le Maître des Jardins s'approche alors de vous et vous essayez de lui arracher son Amulette. Votre mouvement cependant a rompu le sortilège et le Maître des Jardins, vous voyant reparaître sous votre forme habituelle, fait un bond en arrière. La tentative a échoué ; si vous souhaitez à présent l'attaquer avec votre épée, vous devrez vous rendre au **379**. Si vous préférez fuir la clairière, rendez-vous au **363**.

348

Quatre chemins vous permettent de repartir. Dans quelle direction souhaitez-vous aller ?

Au nord ?	Rendez-vous au **94**
Au sud ?	Rendez-vous au **157**
A l'est ?	Rendez-vous au **10**
A l'ouest ?	Rendez-vous au **204**

349

Vous haussez les épaules et vous quittez la pièce ; vous longez le sombre couloir puis vous franchissez la porte à la hideuse sculpture. A quelque distance devant vous se dessinent les contours du village tandis que vous vous éloignez de la tour du Mal. Vous avez combattu toutes sortes de créatures, hommes et animaux, vous avez dix fois risqué votre vie et tout cela pour quoi ? Le Mal est un maître ingrat et dangereux, et vous pouvez vous estimer heureux d'avoir réussi sans trop de difficulté à échapper ainsi aux griffes de Stratagus. Vous êtes vivant, c'est l'essentiel, et, dans l'avenir, il ne fait aucun doute que vous vous montrerez plus circonspect dans le choix des maîtres que vous servirez. Votre aventure, en tout cas, se termine ici.

350

Un arbre immense, planté dans un sol dur et nu, se dresse au milieu de la clairière dans laquelle vous vous trouvez. Au sommet de cet arbre, un nid gigantesque a été aménagé à l'aide de branchages. *Vous êtes dans la Clairière n° 16. Si vous y êtes déjà venu, rendez-vous au* **331**. *Sinon, lisez ce qui suit*. Vous vous arrêtez au pied de l'arbre pour contempler ce grand nid, mais, bientôt, vous entendez un battement d'ailes derrière vous et vous apercevez un AIGLE énorme qui vole au-dessus de la clairière en vous observant attentivement. Avez-vous :

Des Plumes de Perroquet ? Rendez-vous au **392**

Une Amulette d'Argent en forme d'oiseau ? Rendez-vous au **25**

Ni les unes ni l'autre ? Rendez-vous au **233**

351

Vous hésitez à utiliser contre Stratagus l'une de ses propres Pierres de Magie : cela pourrait être dangereux pour vous. Vous lancez à la place un sortilège d'Illusion ou, tout au moins, vous essayez, car le sorcier fait un geste de la main et l'image que vous vouliez créer se dissipe avant même d'avoir pu prendre forme. « Tu ne parviendras pas à me tromper avec ces enfantillages ! s'écrie Stratagus d'un air méprisant. Prépare-toi plutôt à mourir, pauvre imbécile ! » Rendez-vous au **124**.

352

Le seul chemin qui permette de quitter la clairière est celui par lequel vous êtes arrivé. Vous l'empruntez donc à nouveau, en direction du nord, cette fois, et vous arrivez bientôt à l'endroit où vous avez récemment combattu les Orques des Marais. Vous empoignez votre épée au cas où il vous faudrait livrer une nouvelle bataille et vous vous rendez au **323**.

350 *Un arbre immense, planté dans un sol dur et nu, se dresse au milieu de la clairière.*

353

Vous avez gravement offensé les Brigands. Ils pensaient vous avoir offert là une chance équitable de régler la question dans l'honneur et vous l'avez refusée. À présent, vous allez devoir en combattre plusieurs à la fois, au lieu d'un seul, et ce ne sera pas un duel au premier sang... Rendez-vous au **235**.

354

Vous retirez votre épée du cadavre de votre répugnant adversaire en poussant un soupir de soulagement. Mais, tout autour de vous, les Araignées vous guettent et s'approchent de plus en plus près. Vous vous penchez alors sur le corps de leur Maître défunt pour vous emparer de son Amulette en forme d'araignée. Mais lorsque vous l'ôtez de son cou, une étincelle jaillit soudain et le cadavre prend feu instantanément. Vous vous hâtez de quitter la clairière en emportant l'Amulette tandis que les flammes se propagent derrière vous. L'incendie aura tôt fait de brûler les araignées, mais il faut vous dépêcher de vous rendre au **165** si vous ne voulez pas être carbonisé à votre tour !

355

Le chemin qui mène à Courbensaule vous est désormais familier, mais lorsque vous entrez à nouveau dans la ville, quelque chose vous semble avoir changé. Vous sentez en effet que les gens vous regardent et que des murmures s'élèvent sur votre passage. Vous comprenez alors que la rumeur de vos exploits s'est répandue alentour et qu'ils sont à présent de notoriété publique. Vous éprouvez un certain malaise à vous sentir ainsi observé et, tandis que vous vous engagez dans une rue latérale, vous avez l'impression d'être suivi. Vous faites aussitôt volte-face pour vous retrouver nez à nez avec deux COUPEURS DE BOURSES en haillons. Ils vous attaquent à l'instant même, convaincus que vous avez dû rapporter un fabuleux trésor de vos pérégrinations dans le Marais. Vous ne pouvez pas vous enfuir et vous n'avez pas assez de temps pour avoir recours à la magie. Il ne vous reste donc plus qu'à les combattre.

	HABILETÉ	ENDURANCE
Premier COUPEUR DE BOURSES	7	5
Deuxième COUPEUR DE BOURSES	8	5

Vous les affronterez l'un après l'autre. Si vous parvenez à les tuer tous les deux, rendez-vous au **186**.

356

Vous lancez la Pierre Magique de Terreur à la Bête du Bassin, mais votre sortilège reste sans effet. La créature est trop stupide pour savoir ce qu'est la peur. Elle vous attaque et vous devez vous rendre au **82** pour la combattre.

357

Les deux autres flèches manquent également leur but mais, soudain, elles changent de direction en pleine course et viennent vous frapper à la poitrine. Vous perdez aussitôt 5 points d'ENDURANCE ; si vous êtes toujours vivant, vous vous apercevez que l'Aimant d'Or trouvé sur le corps du guerrier est en réalité un objet maudit. Il attire les flèches, en effet, et a bien failli vous tuer après avoir causé la perte de celui qui le portait avant vous. Les Orques sont en train de préparer de nouvelles flèches. Qu'allez-vous faire ?

Les attaquer avec votre épée ? Rendez-vous au **281**

Recourir à la magie ? Rendez-vous au **399**

Prendre la *Fuite* ? Rendez-vous au **309**

358

Vous prenez l'or qu'il vous a donné et vous repartez. Vous vous posez des questions cependant... Avez-vous bien agi ? L'argent que vous avez gagné n'est pas très propre ; hélas ! vous n'y pouvez plus rien... La prochaine fois que vous entreprendrez une aventure de ce genre, vous vous montrerez plus circonspect dans le choix des maîtres que vous servirez. En tout cas, pour l'instant, vous avez rempli avec succès votre peu reluisante mission...

359

Vous êtes convaincu que le Maître des Grenouilles se montrerait beaucoup moins amical s'il connaissait la nature exacte de votre mission et vous inventez donc un mensonge. « Je suis au service de Sukumvit, Baron de Fang, prétendez-vous. Il m'a envoyé explorer le Marais aux Scorpions pour y chercher de nouveaux monstres dont il pourrait peupler son célèbre Labyrinthe de la Mort. Lorsque je suis arrivé au village qui se trouve à proximité du Marais, j'ai entendu parler des Maîtres qui y ont élu domicile et je me suis promis d'en apprendre davantage à leur sujet. Qui êtes-vous donc et pourquoi êtes-vous venu vous installer ici ? » *Tentez votre Chance*. Si vous êtes Chanceux, rendez-vous au **162**. Si vous êtes Malchanceux, rendez-vous au **16**.

360

« Bravo, jolie feinte ! s'écrie le Chef des Brigands en se tenant le bras à l'endroit où votre lame l'a atteint, c'était un beau combat ! » L'un de ses compagnons panse sa blessure tandis qu'un autre lui offre l'eau de sa gourde. Un instant plus tard, vous êtes tous en train de rire et de plaisanter comme si vous étiez de vieux amis. Rendez-vous au **214**.

361

Vous lancez votre Pierre Magique d'Amitié. Pendant un instant, le Maître des Araignées semble déconcerté, puis il se met à sourire. « Ah, très bien, je vois que vous venez en ami », dit-il. Vous lui rendez son sourire et vous commencez à lui parler de votre mission. Mais, à cet instant, vous ressentez une vive douleur au cou. Le Maître éclate alors d'un rire joyeux. Vous faites aussitôt volte-face et vous vous retrouvez devant une grosse araignée noire qui se balance au bout d'un fil accroché à une branche. Son venin a tôt fait de se répandre dans votre sang et vous vous écroulez sur le sol, incapable de bouger. Dans un demi-brouillard, vous apercevez le Maître des Araignées qui fouille votre Sac à Dos pour examiner le butin qu'il vient de s'approprier. Puis vous sentez qu'on vous soulève par-derrière et qu'on vous hisse sur la branche d'un arbre. Quelques instants plus tard, vous vous retrouvez enveloppé d'une toile d'araignée, et vous restez là, suspendu entre ciel et terre. Dans une semaine ou deux, les Araignées qui vivent en ces lieux jugeront sans doute votre carcasse à point et s'offriront à vos dépens un délectable repas. Vous aurez compris, bien entendu, que votre aventure est terminée.

362

Ces arbres n'étaient pas de taille à lutter contre vous et quelques instants plus tard, toutes les branches qui vous menaçaient ont été coupées net. Vous jetez alors un regard autour de la clairière, mais vous ne découvrez rien d'intéressant, en dehors de quelques graines qui proviennent sans doute de ces Arbres-Épées. Vous décidez de les ramasser en pensant qu'elles vous seront peut-être utiles plus tard et vous vous rendez au **22**.

363

Vous retournez dans la clairière où vous avez fait la rencontre du Patrouilleur. Que s'est-il passé avec lui ?

L'avez-vous quitté en bons termes ? Rendez-vous au **133**

L'avez-vous tué ? Rendez-vous au **234**

Avez-vous pris la *Fuite* au cours d'un combat contre lui ? Rendez-vous au **306**

364

Vous vous trouvez à nouveau dans la clairière où vous avez bu dans un bassin une eau qui a soulagé vos blessures. Vous vous approchez de cette eau bienfaisante, mais, un instant plus tard, une flèche siffle à vos oreilles, puis une autre. Il vous est impossible de déterminer l'endroit d'où elles sont tirées et vous prenez la *Fuite* par le chemin que vous avez emprunté pour arriver jusqu'ici. Rendez-vous au **47**.

365

Vous pensez qu'un sortilège de Terreur vous donnera la meilleure chance de vaincre Stratagus et vous lui lancez donc votre Pierre Magique. Hélas ! il fait un geste de la main et c'est vous qui subissez alors les effets du sortilège.

Une sensation glacée vous envahit aussitôt : vous avez peur, terriblement peur, et vous perdez un point d'HABILETÉ. Rendez-vous à présent au **124.**

366

Vous avez vaincu le Géant et vous fouillez son énorme cadavre, mais vous ne trouvez rien d'intéressant en dehors de sa grosse massue hérissée de pointes ; elle est trop lourde pour vous cependant, et vous ne pouvez pas l'emporter. Rendez-vous au **161.**

367

Deux chemins permettent de quitter cette clairière. Si vous souhaitez aller au nord, rendez-vous au **304.** Si vous préférez aller vers l'est, rendez-vous au **265.**

368

Vous devrez repartir de cette clairière par le même chemin que vous avez emprunté pour y arriver. Rendez-vous au **348** et prenez ce chemin.

369

Vous vous rendez bien compte que, même avec une autre Pierre de Glace, vous ne parviendrez pas à renforcer suffisamment le pont ; vous lancez donc la Pierre à vos pieds pour former un gros morceau de glace sur lequel vous pourrez dériver le long de la rivière, en direction de l'est. Des deux côtés, les berges sont recouvertes d'une épaisse végétation. Soudain, vous apercevez à quelque distance devant vous un vieux pont de pierre d'une taille impressionnante. Si vous souhaitez essayer de vous y agripper lorsque vous passerez juste au-dessous, rendez-vous au **384.** Si vous préférez continuer à vous laisser porter par le courant en espérant trouver un autre moyen de regagner la terre ferme, rendez-vous au **313.**

370

Grâce à votre Pierre Magique de Glace, un pont solide se forme à la surface de l'eau et vous pouvez le franchir sans encombre. Vous pouvez prendre la direction du nord ou celle du sud. Si vous souhaitez aller au nord, rendez-vous au **157.** Si vous préférez aller au sud, rendez-vous au **398.**

371

« Vous êtes en effet celui que j'attendais depuis longtemps, dit-il en hochant la tête, vous pourrez faire ce qui doit être fait. » Il vous sourit alors et vous vous sentez très fier. « Je vais vous parler de votre quête. Autrefois poussait un buisson que l'on appelle l'Anthérique. Cette plante avait des propriétés curatives et apportait une aide précieuse aux Maîtres de Magie Blanche. Elle n'avait cependant aucune utilité dans les pratiques maléfiques et les forces du Mal s'évertuèrent à la détruire partout dans le monde. On pensait qu'ils avaient réussi à la faire disparaître à jamais mais grâce aux recherches que j'ai menées et aux indications que m'a fournies ma boule de cristal, j'ai découvert qu'il subsiste un buisson d'Anthérique et un seul. Or ce buisson se trouve dans le Marais aux Scorpions. Il est petit, vert foncé, ses fleurs sont blanches et ses baies violettes. Si vous me rapportiez ne serait-ce qu'une seule de ces baies, je pourrais, grâce à ma magie, faire en sorte que revive le buisson d'Anthérique et qu'il prospère à nouveau à travers le monde, pour le plus grand bien des Maîtres de Magie Blanche. Il y a nombre de trésors à découvrir dans le Marais, poursuit le petit homme, et vous pourrez garder tout ce que vous y trouverez. Je n'ai besoin, pour ma part, que de cette baie d'Anthérique. Mais bien qu'un guerrier tel que vous soit le mieux apte à survivre dans ce terrible marécage, il y règne des forces magiques contre lesquelles une épée n'est d'aucun secours. Je ne puis pas vous enseigner l'art de la magie, mais je vais vous aider, malgré tout, en vous donnant six Pierres Magiques. Chacune d'elles vous permettra de faire usage d'un sortilège ; sachez cependant que lorsque vous les aurez toutes utilisées, vous ne devrez plus vous fier qu'à votre fidèle épée et aux ressources de votre intelligence. » Vous examinez alors avec Gayolard quelles sont les Pierres de Magie qui vous seront les plus utiles. Vous choisirez ces six Pierres dans la liste qui figure au début de ce livre, mais vous ne pourrez les prendre que parmi les Pierres *Bénéfiques* ou *Neutres*. Il vous est interdit de choisir des Pierres *Maléfiques*. Lorsque vous aurez établi votre choix, vous inscrirez sur votre *Feuille d'Aventure* les Pierres que vous emporterez. Vous rangez soigneusement vos Pierres dans votre bourse et vous prenez congé de Gayolard puis vous vous mettez en chemin, en direction du Marais. Votre voyage sera périlleux, à n'en pas douter, mais vous vous sentez porté par la sagesse et la bienveillance du vieux sorcier. Votre mission sera celle-ci : trouver une baie d'Anthérique et la rapporter à Gayolard. Rendez-vous au **9** pour commencer votre aventure.

372

Vous entendez des cris qui montent du rez-de-chaussée. La servante Gobeline appelle au secours : « Soldats ! Vite ! A l'aide ! Il est en train de tuer mon maître ! » hurle-t-elle. Tandis que vous vous demandez s'il ne vaudrait pas mieux prendre la fuite, la porte soudain s'ouvre à la volée derrière Pompatarte, et trois gardes vêtus de cottes de mailles rouges se ruent à l'intérieur de la pièce en pointant leurs arbalètes sur votre poitrine. Sans attendre les ordres et sans sommation, ils tirent aussitôt et les flèches vous transpercent le corps. Vous vous écroulez sur le sol, tué sur le coup. C'est ainsi que se termine votre aventure.

373

Tentez votre Chance. Si vous êtes Chanceux, votre attaque est si fulgurante que vous parvenez à blesser le sorcier. Rendez-vous alors au **225,** mais vous ôterez 2 points au total d'ENDURANCE de votre adversaire avant que le combat ne s'engage. Si vous êtes Malchanceux, vous ne parvenez pas à le toucher ; dans ce cas, vous vous rendrez également au **225** pour le combattre, mais sans rien changer cette fois au total d'ENDURANCE dont il dispose.

374

Il vaut mieux combattre un tel monstre avec le secours de la magie. Quel sortilège allez-vous lui lancer ?

Terreur ? Rendez-vous au **299**
Illusion ? Rendez-vous au **60**
Croissance ? Rendez-vous au **228**
Amitié ? Rendez-vous au **160**
Aucun de ceux-ci ? Rendez-vous au **11** et faites un nouveau choix

375

Vous ne prêtez aucune attention à l'odeur de soufre et vous fouillez la tour en fredonnant un air guilleret, tandis que vous bourrez votre Sac à Dos de livres et de statuettes d'or. Mais, soudain, vous entendez un sifflement : vous faites volte-face et vous vous trouvez alors nez à nez avec une grande forme noire. Deux petits yeux en amande vous regardent dans l'obscurité en projetant une lueur étincelante. « Merci, pauvre mortel, dit la voix dans un sifflement. J'ai longtemps attendu de venir m'emparer de son âme. Elle est à moi, désormais. » Vous prenez aussitôt la fuite tandis que l'ombre plane sur le

375 *Vous faites volte-face et vous vous trouvez nez à nez avec une grande forme noire.*

cadavre de Stratagus mais vous n'aurez pas le temps de vous échapper. En effet, vous n'avez pas encore atteint la porte d'entrée lorsque l'odeur de soufre devient insupportable. La tour tout entière s'embrase alors et explose. C'est ainsi que se termine votre aventure.

376

Vous lui expliquez que vous cherchez simplement à gagner Courbensaule et à en revenir. Une expression de surprise apparaît alors sur sa face de grenouille. « Courbensaule se trouve loin au nord et à l'ouest, dit-il. Mais vous m'êtes sympathique et je vais vous donner un conseil. Ne suivez pas le Feu Follet ou vous mettrez votre vie en péril. Et maintenant, au revoir, j'ai du travail qui m'attend. » Il disparaît brusquement et ses Grenouilles s'éloignent à grands bonds en coassant avec bruit. Vous jetez un coup d'œil autour de la clairière, mais vous ne découvrez rien d'intéressant. Le seul chemin qui permet de quitter l'endroit est orienté au nord et vous l'empruntez donc, revenant sur vos pas en direction de la clairière où vous avez rencontré les Orques des Marais. Rendez-vous au **323.**

377

Lancez deux dés. Si le total obtenu est inférieur ou égal à vos points d'ENDURANCE, vous parvenez à sauter par-dessus les Scorpions. Si ce total est supérieur à vos points d'ENDURANCE, votre bond est trop court et vous vous faites piquer. Vous perdrez alors 3 points d'ENDURANCE. Si vous êtes toujours vivant, rendez-vous au **319.**

378

Le Patrouilleur n'est pas un sot et il sent bien que vous travaillez pour le compte d'un sorcier maléfique. Il saute alors à bas de son rocher et vous attaque.

PATROUILLEUR	HABILETÉ : 10	ENDURANCE : 10

Vous pourrez, à tout moment, prendre la *Fuite*, vous vous rendrez dans ce cas au **234.** Si vous parvenez à tuer le Patrouilleur, rendez-vous au **219.**

379

Vous tirez votre épée et vous essayez de lui en porter un coup, mais il recule d'un pas et vous le manquez. « Pourquoi m'attaquez-vous ? » s'écrie-t-il, stupéfait. Il s'enfuit aussitôt et, n'ayant pas d'armure, parvient à courir plus vite que vous. Ramassant alors une faucille, il se met en garde, à l'autre bout de la clairière. Lorsque vous arrivez près de lui, il fait un geste de la main pour vous jeter un sort et vous perdez 3 points d'HABILETÉ.

MAÎTRE DES JARDINS HABILETÉ : 7 ENDURANCE : 10

Vous pouvez prendre la *Fuite* à tout moment en retournant vers l'ouest, rendez-vous pour cela au **363.** Si vous parvenez à tuer le Maître des Jardins, rendez-vous au **251.**

380

Vous lancez votre Pierre Magique de Flétrissure. La Vase aussitôt change de couleur, passant du vert au brun, mais c'est le seul effet que le sortilège produise sur elle. Si vous souhaitez essayer une autre Pierre de Magie, rendez-vous au **400.** Si vous préférez changer entièrement de tactique, rendez-vous au **336** et faites un nouveau choix.

381

Vous ne voulez pas attaquer la Licorne blessée car vous avez toujours entendu dire que ce sont des créatures bienveillantes. Vous lui lancez donc une Pierre Magique de Bénédiction et vous la voyez frissonner lorsque le sortilège l'atteint. Elle se met aussitôt à hennir d'un air joyeux. Les blessures à son flanc sont presque guéries à présent et elle semble beaucoup plus vigoureuse. Elle reste cependant méfiante, n'osant pas s'approcher d'un être humain, mais elle va creuser le sol avec sa corne à l'autre bout de la clairière puis vous lance un regard et s'en va. Vous allez voir alors l'endroit où elle a creusé et vous découvrez là deux Pierres de Magie semblables à celles que Gayolard vous a données. L'une est une Pierre d'Amitié, l'Autre une Pierre de CHANCE. Vous remerciez la Licorne en étant sûr qu'elle vous a entendu où qu'elle soit, et vous poursuivez votre route. Rendez-vous au **348.**

382

Vous vous apercevez que vous êtes revenu dans la clairière aux Sables Mouvants, mais cette fois, vous ne vous laisserez pas surprendre. Vous avez deux solutions si vous souhaitez recourir à la magie. La première consiste à lancer une Pierre de Glace. Ainsi, les Sables mouvants gèleront et vous pourrez les traverser, mais la glace fondra vite derrière vous. La deuxième solution consiste à jeter une Pierre de Croissance pour faire grandir les plantes alentour. Celles-ci recouvriront alors la surface des Sables en formant une sorte de sentier sur lequel vous pourrez marcher en toute sécurité. Ce sentier restera là en permanence et vous pourrez donc l'utiliser à nouveau si jamais vous repassez par la suite dans cette clairière. Si vous disposez de l'une ou l'autre de ces Pierres de Magie, vous pouvez en faire usage en vous rendant au **270.** Si vous vous servez d'une Pierre de Croissance, n'oubliez pas de noter sur votre carte que vous pourrez désormais franchir ces Sables Mouvants sans encombre. Si vous ne possédez aucune de ces deux Pierres, vous avez le choix entre :

Essayer de sauter par-dessus les Sables Mouvants	Rendez-vous au **190**
Rebrousser chemin	Rendez-vous au **223**

383

Vous lancez sur le Nain la Pierre Magique de Bénédiction en espérant ainsi pouvoir le sauver. Il bat alors des paupières, et pendant un instant vous pensez avoir réussi. Hélas ! le sortilège n'est pas assez puissant pour ramener quiconque d'entre les morts. Retournez au **324** pour faire un autre choix.

384

Vous n'avez aucun mal à vous accrocher à l'un des piliers du pont et à l'escalader. Les gros blocs de pierre dont il est constitué offrent de solides points d'appui et vous ne tardez pas à vous hisser sur le parapet et à sauter à pieds joints sur le pont lui-même. Rendez-vous au **101**.

385

Vous hésitez à utiliser contre Stratagus l'une des Pierres de Magie qu'il vous a données : ce pourrait être dangereux pour vous. Vous lui lancez plutôt un sortilège de Feu et sa longue toge s'enflamme aussitôt, mais le sorcier n'est pas blessé. Il éclate d'un rire dément et le feu s'éteint autour de lui. Rendez-vous au **124.**

386

Le cadavre du Voleur est étendu à vos pieds : il n'était pas si habile qu'il l'avait cru ! Vous fouiller alors dans ses affaires et la seule chose utile que vous y trouviez est une grande Cape Rouge que vous pouvez emporter avec vous si vous le désirez. Vous grignotez ensuite un morceau de fromage que vous trouvez dans son panier, puis vous poursuivez votre chemin. Rendez-vous au **179.**

387

De quelle Pierre Magique allez-vous faire usage ?

Pierre de Malédiction ?	Rendez-vous au **107**
de Terreur ?	Rendez-vous au **278**
d'Illusion ?	Rendez-vous au **148**
d'Amitié ?	Rendez-vous au **318**
Aucune de celles-ci ?	Rendez-vous au **65** et faites un nouveau choix

388

Bientôt, vous entrez dans une agréable clairière envahie d'herbes. Deux chemins vous permettent d'aller plus loin. *C'est la Clairière n° 24. Si vous y êtes déjà venu, rendez-vous au* **263.** *Sinon, lisez ce qui suit.* Vous restez un instant immobile, jetant un coup d'œil autour de vous. Vous

vous apercevez alors que cette herbe a quelque chose d'étrange. Elle pousse en effet si vite qu'on peut la voir bouger. Et tandis que vous l'observez, des pinces apparaissent aux extrémités de ses tiges, des pinces qui essayent de vous saisir. Vous vous trouvez au plein milieu d'une étendue d'HERBE A PINCES ! Si vous souhaitez vous défendre avec votre épée, rendez-vous au **134.** Si vous préférez recourir à la magie, rendez-vous au **167.**

389

D'après la description que vous en a donné Gayolard, il ne fait aucun doute que vous avez trouvé là le buisson d'Anthérique. La moitié de votre mission est ainsi accomplie mais, à présent, il vous faut revenir auprès du sorcier en emportant avec vous la précieuse baie. Le seul chemin que vous puissiez prendre, pour l'instant, est orienté au sud. Rendez-vous au **342.**

390

Vous avez le choix entre trois sentiers. Tous trois semblent plutôt marécageux et peu sûrs. Dans quelle direction souhaitez-vous aller ?

Au nord ?	Rendez-vous au **144**
A l'est ?	Rendez-vous au **209**
A l'ouest ?	Rendez-vous au **195**

391

Vous tirez votre épée et vous faites un pas vers elle. Elle vous considère alors sans terreur, plutôt avec tristesse. Puis soudain, des cen-

388 *Vous vous trouvez en plein milieu d'une étendue d'Herbes à Pinces.*

taines d'oiseaux aux couleurs étincelantes vous entourent et vous ne voyez plus rien. Lorsque les oiseaux s'éloignent enfin, leur Maîtresse a disparu. Vous perdez 2 points de CHANCE. Rendez-vous à présent au **217.**

392

L'Aigle sait que vous êtes un ennemi et il vous attaque. Vous n'avez aucune possibilité de prendre la fuite, car il est plus grand et plus rapide que vous. Il ne vous reste plus qu'à vous fier à votre épée.

AIGLE HABILETÉ : 7 ENDURANCE : 6

Si vous parvenez à tuer votre adversaire, rendez-vous au **132.**

393

Vous êtes convaincu que la Pierre Magique de Flétrissure convient à merveille dans ce genre de situation et vous la jetez aussitôt aux Arbres-Épées. A votre grand soulagement, vous les voyez alors prendre une teinte jaunâtre puis se dessécher à vue d'œil. Vous jetez ensuite un regard autour de vous, mais vous ne trouvez rien d'intéressant à part quelques graines qui proviennent sans doute de ces Arbres-Épées. Vous décidez de les ramasser en pensant qu'elles vous seront peut-être utiles plus tard et vous vous remettez en route. Rendez-vous au **22.**

394

Vous avez désormais appris à être prudent et vous observez attentivement le bassin ainsi que le reste de la clairière. Un gros Lézard vient boire à l'eau du bassin, puis s'en retourne d'une démarche chaloupée. Vous ne voyez rien d'autre qui mérite d'être noté. Si vous souhaitez quitter la clairière, rendez-vous au **47.** Si vous préférez boire à votre tour un peu d'eau du bassin, rendez-vous au **77.**

395

Vous décidez de passer la nuit à l'auberge la plus proche : « l'*Ours Noir* ». Au rez-de-chaussée, la salle est bondée de clients apparemment décidés à faire la fête, mais vous ne leur prêtez aucune attention et vous montez dans votre chambre après avoir payé 1 Pièce d'Or à l'aubergiste. Malheureusement, il y a tant de bruit en bas que vous ne parvenez pas à fermer l'œil. Les fêtards vous font ainsi perdre 1 point d'ENDURANCE. Qu'allez-vous faire à présent ?

Vous enfouir la tête sous l'oreiller en essayant de ne pas les entendre ? Rendez-vous au **116**

Descendre dans la salle en brandissant votre épée et en les menaçant ? Rendez-vous au **236**

Quitter cette auberge et aller plutôt à la « Lance Tordue » ? Rendez-vous au **78**

Quitter cette auberge et passer la nuit au « Cheval Volant de Tancrède » ? Rendez-vous au **289**

396

« Serait-ce donc possible ? s'écrie le Maître des Jardins. Un buisson d'Anthérique quelque part dans ce Marais ? Je savais bien que cet endroit devait receler quelque vertu cachée lorsque j'ai décidé de m'y installer. C'est sans doute cela que j'avais pressenti ! » Il reste immobile un instant les paupières baissées et semble réfléchir puis il ouvre à nouveau les yeux. « La plante que vous cherchez, dit-il alors, se trouve à l'est, mais aucun chemin ne permet d'y parvenir directement. Pour la trouver, il vous faut prendre la direction de l'ouest, puis revenir vers l'est dans le sens des aiguilles d'une montre. » Il vous souhaite ensuite bonne chance et vous donne une Pierre de Magie Bénéfique (choisissez laquelle). Vous reprenez à présent votre route. Un seul chemin permet de quitter la clairière vous l'empruntez donc, en marchant vers l'ouest. Rendez-vous au **363.**

397

Vous ne voulez rien avoir à faire avec cette créature et vous quittez donc la clairière aussi vite que possible. L'unique chemin qui vous permette de repartir vous ramène vers l'ouest. Rendez-vous au **330.**

398

Vous entrez dans une clairière où l'on a bâti une petite maison en rondins. *C'est la Clairière n° 4. Si vous y êtes déjà venu, rendez-vous au* **239.** *Sinon, lisez ce qui suit.* Vous entendez alors un grognement qui ressemble à celui d'un chien : ce n'est pas un chien, cependant, mais un Loup qui

398 *L'Amulette d'Argent qui pend sur sa poitrine vous indique qu'il s'agit du Maître des Loups.*

grogne ainsi. L'animal vous observe, debout à côté de la maison. La porte s'ouvre presque aussitôt, et un homme robuste apparaît sur le seuil. Un autre Loup le suit. L'homme porte une épée au côté et il est vêtu comme un Garde Forestier, mais l'Amulette d'Argent en forme de loup qui pend sur sa poitrine vous indique qu'il s'agit là du MAÎTRE DES LOUPS. Vous le saluez d'un ton amical mais il vous répond avec mauvaise humeur en vous ordonnant de passer votre chemin. Qu'allez-vous faire ?

Obéir et vous en aller ?	Rendez-vous au **314**
Recourir à la magie ?	Rendez-vous au **191**
L'attaquer ?	Rendez-vous au **120**

399

Quelle Pierre de Magie allez-vous utiliser contre les Orques des Marais ?

Une Pierre de Feu ?	Rendez-vous au **346**
d'Illusion ?	Rendez-vous au **169**
Aucune de celles-ci ?	Rendez-vous au **281**

400

Quelle Pierre de Magie allez-vous utiliser pour vous défendre contre la Vase ?

Une Pierre de Feu ? Rendez-vous au **188**

de Flétrissure ? Rendez-vous au **380**

de Glace ? Rendez-vous au **282**

Aucune de celles-ci ? Rendez-vous au **336** pour faire un nouveau choix

Achevé d'imprimer
le 8 novembre 1985
sur les presses de
l'Imprimerie Hérissey
à Évreux (Eure)

N° d'imprimeur : 38584
Dépôt légal : novembre 1985
1er dépôt légal dans la même collection : février 1985
ISBN 2-07-033288-8

Imprimé en France

36935